KB128872

교사를 위한 치유저널

The Teacher's Journal: A Workbook for Self-Discovery

The Teacher's Journal: A Workbook for Self-Discovery
by Kathleen Adams and Marisé Barreiro

Korean Translation Copyright © 2015 by Hakjisa Publisher, Inc.
The Korean translation rights published by arrangement with
Rowman & Littlefield Education.

First published in the United States by Rowman & Littlefield Education,
Lanham, Maryland, U.S.A.
Reprinted by permission.

교사를 위한

치유저널

Kathleen Adams · Marisé Barreiro 공저 | 이봉희 역

The Teacher's Journal: A Workbook for Self-Discovery

학지사

이 책을 롭 잭슨 박사에게 헌정합니다.

롭 잭슨(Robb Jackson, Ph.D., CJF, CAPF)
공인저널치료사/공인문학치료사
1952~2013

너희는 기쁨으로 나아가며 평안히 인도함을 받을 것이요,
산과 작은 산이 너희 앞에서 노래를 발하고
들의 모든 나무가 손뼉을 칠 것이다.
이사야 55:12

이 책은 2013년 나사렛대학교 학술연구비 지원을 받아 번역되었음.

역자 서문

이 연필 안에 말이 웅크리고 있다 한 번도
쓰인 적 없는 말해진 적 없는
배운 적 없는 말이 숨어 있다

— 머윈(Merwin), 「쓰이지 않은 말」 중에서

역자의 멘토이며 슈퍼바이저이고 스승이며 동료인 캐슬린(케이) 애덤스(Kathleen Adams)가 마리제 바레이로(Marisé Barreiro)와 공저한 『교사를 위한 치유저널(*The Teacher's Journal*)』을 한국에 소개할 수 있게 되어서 매우 기쁘다. 교사는 학생을 가르치는 일뿐 아니라 여러 업무상의 일과 관계 속에서 과도한 스트레스를 받고 있다. 우리는 행복한 자녀 뒤에는 행복한 부모가 있다는 사실을 잘 알고 있다. 교사의 경우도 마찬가지다. 학생을 행복하고 창의적으로 지도하기 위해서는 교사가 먼저 행복하고 창의적이어야 하며 여러 스트레스에서 벗어나야 한다. 하지만 대부분의 교사를 위한 책은 학생을 보다 잘 이해하고 돌보기 위한 지침서이며, 순수하게 교사 자신을 위한 책은 드물다. 『교사를 위한 치유저널』은

말 그대로 교사 자신을 위한, 교사를 치유하는 저널치료 책이며, 인지적 지식에 그치는 것이 아니라 어떻게 해야 하는지에 대한 구체적인 방법과 실제를 제공하는 책이다.

니체(Nietzsche)는 "영혼의 가장 깊은 내면에서 우러나오는 외침에 대해 한마디의 대답도 듣지 못하는 것은 끔찍한 체험이었다."라고 말하였다. 교사는 학생의 이야기를 깊이 들어 주어야 한다고 요구받는다. 하지만 교사가 자신의 내면의 목소리를 들을 수 없다면 학생들의 내면의 이야기를 듣기는 더욱 어렵다. 이 책을 통해, 그리고 이 책을 계기로 교사가 저널 쓰기를 통해 자신의 내면의 목소리를 찾아가기를 소망한다. 그리하여 학생의 이야기를 경청할 수 있게 되기를 바란다. 더 나아가 교사의 저널 쓰기 경험이 학생으로 하여금 자신의 이야기를 스스로 경청할 수 있고 표현할 수 있도록 도와주게 되기를 바란다.

케이와의 만남은 내 인생을 변화시킨 운명 같은 사건이었다. 당시 나는 학교에서의 스트레스로 몸과 마음이 한없이 지친 상태였는데, 그녀의 워크숍을 통해서 치유되기 시작하였다. 나의 고통스러운 감정적 문제가 저널(일기장) 속에서 목소리를 찾음으로써 해방되고 성찰되면서 소진되어 가던 나의 열정이 다시 살아나기 시작하였다. 케이와 나는 저널치료에 대한 믿음과 열정 속에 한마음 한뜻이 되었고, 케이의 '저널치료센터'의 한국지소인 '한국글쓰기문학치료연구소'에서 저널치료 워크숍 모임을 가진 지도 10년이 되어 간다.

역자의 저널/문학치료 워크숍 참여자 중에는 교사들이 적지 않다. 교사들의 경우 처음에는 모두 교실에서 또는 학교 상담실에서 학생들을 치유할 수 있다는 기대 속에 참여한다. 하지만 글을 쓰는 과정에서 예외 없이 저널치료에 대한 정보를 얻고 방법을 배우고자 했던 처음의 목적을 잊고 어느새 자신의 문제에 집중하게 된다. 글을 쓰면서 자신도 모르는 사이에 그동안 잊고 외면하며 억압했던 자신의 내면의 목소리를 듣게 되기 때문이다. 교사도 교사이기 이전에 한 사람이다. 그들도 다른 사람들과 마찬가지로 가정, 자녀, 직장에서의 문제 같은 스트레스, 그리고 깊이 묻어 둔 마음의 상처처럼 현재의 삶에 부정적 영향을 미치는 미해결의 문제에 직면하고 그것을 해결해야 한다. 교사들은 저널치료를 통해 자신의 의도와는 무관하게 처리되지 못한 채 억압된 감정과 상처와 스트레스가 곧바로 자녀와 학생들에게 대물림되거나 주변 사람들과의 관계에 바람직하지 못한 영향을 미치고 있음을 새롭게 깨닫곤 한다. 저널의 치료적 힘은 교사 자신에게만 머무는 것이 아니라 학교에서 학생들을 대하는 태도와 교육방법에도, 주변 사람들과의 관계에도 변화를 가져온다.

저널치료 모임에 참여했던 특수학교 교사 K는 저널치료 후에 다른 교사들이 모두 힘겨워하고 있는 중복장애 학생을 솔선수범하여 맡아 가르치면서 전보다 훨씬 그 학생에 대해 수용적으로 변한 자신을 발견하였으며, 그 결과 학생도 큰 정서적 변화를 보였다고 하였다. 그 교사는 자연히 학부모에게도 전과 다르게 공감하게 되었으며 오랜 특수교사 생활로 지쳐서 잃어버릴 뻔했던 학생에 대한 처음의 사랑과 사명감을 다시 찾게 되었다고 하였다.

50대 한 교사는 자녀 문제로 인한 스트레스 때문에 모임에 참여하였으나 저널을 쓰면서 그동안 사장시켜 버린 자신의 욕구와 재능을 발견하게 되었고, 지금은 주말마다 미술, 아코디언, 스포츠댄스 등 마음껏 재능을 발휘하면서 제2의 청춘을 살고 있다. 그로 인해 자녀와의 관계도 회복되었고 젊은 시절의 교사로서의 열정도 되찾게 되었다.

그렇다면 저널치료란 무엇인가? 저널치료(Journal Therapy)에서 말하는 '저널' 이란 정신, 감정, 그리고 육체의 건강과 성장을 증진시키기 위한 치료적 목적을 가진 성찰적 글쓰기를 말한다. 매일매일 일어나는 일과 사건을 객관적으로 또는 외부에서 보는 관점으로 기록하는 기존의 전통적인 일기(다이어리)와 달리, 저널은 자신이나 인생의 여러 문제에 대한 보다 깊은 성찰과 이해를 위해 내면의 생각과 느낌을 표현함으로써 저널을 쓰는 사람의 내적인 경험, 반응, 그리고 인식과 깨달음에 초점을 맞춘다.

심리학자들은 우리가 모호한 정서적 감각보다는 구체적으로 언어화된 관념에 더 잘 직면할 수 있기 때문에 막연한 감정을 언어화하는 것이 해방감을 준다고 말한다. 언어를 종이에 글로 쓰는 것이 치료적 힘을 가지는 중요한 이유는 감정과 느낌을 표현하고 분출시켜 정화할 뿐 아니라 더 나아가 보이지 않는 생각과 느낌 등을 시각적 형태로 변환시키기 때문이다. 문자 그대로 '자신의 마음을 읽는 행위' 를 통해서 저널을 쓰는 사람은 자신의 경험을 더욱 명확히 인식할 수 있다. 그 결과 스트레스를 해소할 수 있고,

자아의 성찰과 성장을 가져오게 되며, 궁극적으로는 정신적 · 육체적 건강에 유익한 영향을 주게 된다. 치료적 글쓰기로서의 저널 쓰기는 상담비가 들지 않는 상담사의 기능을 하며, 전인적인 자기 경영과 진정한 자아의 발견을 통한 창조적 자아실현을 위한 방안으로서의 사적인 글쓰기다.

사람들은 수세기 전부터 일기와 저널을 써 왔다. 그러나 감정 표현과 성찰이 동시에 가능한 저널 쓰기가 치료적 잠재력을 가지고 있다는 것은 1960년대 미국 뉴욕의 심리학자이며 치료사인 프로고프(Ira Progoff)의 저널 워크숍과 강의를 통해서 알려졌다. 프로고프 박사는 글쓰기가 가지는 치료효과에 관심을 가지고 당시 수년간 그의 내담자와의 상담에 심리저널쓰기를 활용하였으며, 저널기법을 체계화하고 이를 워크숍을 통해 널리 전파하였다. 그 후 저널치료를 가장 널리 대중화시킨 사람은 공인 문학치료전문가이며 상담사인 캐슬린 애덤스다.

또한 미국 텍사스 대학교의 심리학자인 페니베이커(Pennebaker) 박사를 비롯한 많은 심리학자들은 20년이 넘는 연구를 통해서 사람들이 고통스러운 사건이나 느낌을 글로 썼을 경우 그들의 신체적인 면역기능이 증가함을 밝혀내었다. 그들은 글로 쓰는 행위를 통한 해방감은 스트레스를 견뎌 내고, 감염이나 질병과 싸워 이기는 육체적인 능력에 직접적인 영향을 준다는 것을 보여 줌으로써 글쓰기가 가지는 치료적 힘을 과학적으로 증명해 주었고, 페니베이커는 치료를 위한 글쓰기 워크북을 출간하기도 하였다[『글쓰기 치료(*Writing to Heal*)』(이봉희 역, 학지사, 2007)]. 그 후 글쓰기의 치료적 힘은 계속 연구되고 의학적으로도 증명되어 오고 있다.

건강과 심리적 억압의 관계에 관한 연구에 따르면, 우리가 경험한 감정적 격변이나 심리적 외상은 그것의 심각성 그 자체보다는 그것을 털어놓지 못하고 억압하기 때문에 정신적 · 육체적 질병을 초래한다. 영어로 감정(emotion)은 '흐르다.' 라는 뜻의 라틴어에서 그 어원을 찾을 수 있다. 감정(이모션)은 좋고 나쁨을 따지는 윤리적인 것이기 이전에 움직이는 에너지(Energy in Motion), 즉 E-모션(e-motion)일 뿐이다. 따라서 감정은 무조건 억압해야 하는 것이 아니라 건강하고 안전하게 표현해서 해소시켜야 한다. 이때가 바로 사적이고 안전한 (비밀이 보장되는) 글쓰기인 저널이 필요한 순간이다.

저널치료 모임에 참여한 한 40대 교사는 원한과 분노가 치밀 때마다 자신만의 비밀 일기장에 그 생생한 감정을 쏟아 내었다. 그렇게 타자를 칠 때는 마치 손이 키보드 위에서 정신없이 춤추는 듯했다고 하였다. 그러고는 전보다 분노가 경감되기 시작하였다. 그는 평생 처음으로 '행복' 이라는 말을 하게 되었다고 하였다. "나는 일기장을 열고 그 사람의 심장을 향해 분노의 화살을 쏘아댔다. 그러고는 얼른 덮었다. 아무도 몰랐지만 나는 속이 후련했고 덕분에 오히려 웃으며 그 사람을 바라볼 수 있었다. 그는 내가 조금 전에 그에게 무슨 짓을 했는지 모를 것이다." 이러한 글쓰기를 그 교사는 '분노의 타자 치기' 라고 불렀다. (단, 이처럼 격한 감정을 쓴 글은 절대 비밀이 보장되어야 한다.)

삶에서 지속적으로 쓰는 저널은 자신만의 문체를 개발해 줄 뿐 아니라 우리 속에 숨은 창의력을 찾아 준다. 역자의 문학치료 모임의 한 참여자인 중학교 국어교사 A는 몸과 마음이 지칠 대로 지쳤을 때 저널을 만났다. 그리고 이제는 자신의 창의력이 발현되는 것을 발견했다고 하였다.

> 나는 결혼 후 지금까지 받고 있는 스트레스를 종이 위에 낱낱이 쏟아 내었다. 내 입 밖으로 한 번도 나온 적이 없는 말이 종이 위로 쏟아져 나와 날뛰었다. 시퍼런 분노를 먹고 자란 짐승의 말에 종이가 파여 나가고 나는 지겹도록 같은 이야기를 쓰고 또 썼다. 그렇게 감정을 해방시키는 카타르시스를 경험한 후 내 삶에 대한 성찰이 본격적으로 시작되었다. ……나는 고통의 의미를 알아내기 위해 전사처럼 글을 썼다. 초기의 짐승의 말은 이제 내면의 지혜가 들려주는 시로 바뀌었다. 내 안에는 치유력을 가진 파란 달이 있어 내 몸을 치유하기도 한다. 나는 문학치료사가 되고 싶은 소망을 품었고 그렇게 열렬히 짝사랑을 했어도 곁을 내주지 않았던 시는 내 안의 샘에서 솟아났다.

미국의 경우 저널이 교육 현장에서 사용된 것은 많은 공립학교가 저널을 국어(영어) 시간과 다른 학과목에 사용하기 시작한 1980년대 이후였다. 종종 '대화' 또는 '응답' 저널이라고 불리던 이 저널은 학생들에게 독립적인 생각과 사고의 기술을 길러 주었다. 교사들은 학생들에게 학문적인 질문이나 문제점에 대해 생각하는 단순한 숙제를 내주었을 경우에도 학생들의 저널 속에서 그들의 감정적인 삶에 대한 중요한 사실과 정보를 발견할 수 있었다. 학생들은 종종 저널에 고통스럽거나 혼돈스러운 사건과 생각, 감정을 쓸 때 긴장감과 압박감이 해소된다고 보고하였다.

미국 캘리포니아의 한 공립학교 교사인 에린 그루웰(Erin Gruwell)은 학생들에게 저널을 쓰게 함으로써 빈곤, 인종차별, 폭력, 마피아 활동 등으로 상처 입고 방황하는 학생들의 삶에 놀라운 변화를 가져왔다. 이 이야기는 1999년 『프리덤 라이터즈 다이어리(*Freedom Writers Diary*)』라는 책으로 출판되었고 또한 영화로도 만들어져서 저널 쓰기의 힘을 널리 알렸다.

일일 저널(Daily Journal)은 최근 10년 사이에 미국 교육계에서 가장 빠르게 확산되고 있는 학습방법이다. 미국 초등학교 교실에서는 아침 수업마다 10~15분을 저널 쓰기에 할애하고 있으며, 중 · 고등학교 국어(영어) 교실에서도 학생들이 저널 쓰는 습관을 가지도록 권유하는 교사들이 늘어나고 있는 추세라고 '에듀케이션 월드' 지는 전한다. 저널 쓰기를 통해서 학생들의 결석이 줄어들고 학생들 중 20%의 학업 성취도가 높아졌다는 보고가 있다.

앞서 예를 든 A 교사의 경우 자신의 치유 경험을 토대로 한 방과 후 수업을 통해 학생들과 저널/문학치료 모임을 가지고 있다. 이 프로그램은 가장 인기 있는 방과 후 수업이 되었다. 학생들은 저널치료를 하면서 수업에 더 집중할 수 있게 되었고, 긴장이 해소되었으며, 정서적으로 융통성이 생기고 건강해지며 안색이 밝아지는 등 눈에 띄는 변화를 가져왔다. 때로는 학부모에게 아이의 변화에 대해 감사하는 전화를 받는다고 한다.

"사람은 누구든 일생을 통해 꼭 하고 싶은 이야기가, 그러기에 평소에는 오히려 더 가슴 깊이 묻어 두게 되는 하나의 이야기가 있게 마련이다. 어쩌면 누가 어떤 직업을 택하는 것도 바로 '그 이야기' 를 나름대로 펼쳐 보이기 위해서가 아닌지 모르겠다." 라고 이문열 작가는 말하였다. 이 책을 통해서 교사들이 왜 자신이 교사라는 직업을 택했는지, 가르치는 일을 통해 진정으로 하고 싶은 이야기는 무엇이었는지를 찾을 수 있기를, 혹시 잊었다면 다시 상기하게 되기를 진심으로 바란다. 그리고 그 소중한 이야기를 통해 새 힘을 얻고 교육 현장에서 또 삶의 현장에서 학생들이 그들의 잠재된 이야기를 찾아가도록 도와주는 창의적이고 긍정적인 영향을 미치는 행복한 교사가 되기를 간절히 소망한다.

이 책의 내용을 저널치료 수업에서 함께 나누었던 나사렛대학교 대학원 문학치료학과의 구본정, 김은정, 조순자, 지현주 님께 감사드린다. 그리고 학지사 김진환 사장님과 고은경 편집자님께도 감사를 드리고 싶다.

2015년 3월

역자 이봉희

저자 서문

이 책은 내가 2008년에 시작했던 온라인 전문 교육 프로그램인 '치료적 글쓰기 연구소(Therapeutic Writing Institute)'에서 가르쳤던 교육과정설계 강좌에서 시작되었다. 스페인의 갈리시아 지역인 폰테베드라(Pontevedra)에서 온 마리제 바레이로(Marisé Barreiro)는 이 강좌를 수강하였다. 수강 기간 동안, 그녀는 일련의 주제를 개념화하고 '교사저널(The Teacher's Journal)'이라 불리는 8회기 글쓰기 그룹을 위한 촉진계획서를 작성하였다. 그녀의 주된 학습 목표는 교사로 하여금 가르치는 일에 대한 애정, 즉 주도적이고 의미에 바탕을 둔 전략에 재접속함으로써 업무로 인한 탈진과 '교실 과로'를 예방하고, 그 결과 기운을 회복하며 새로운 활력을 느끼도록 돕는 것이었다. 그녀가 완성한 커리큘럼은 대단히 신선하고 섬세해서, 나는 강좌를 다 마친 후에 그녀에게 그녀의 과정표에 근거한 워크북을 표현적 글쓰기 시리즈의 하나로 나와 함께 공동 집필해 보면 어떻겠느냐는 제안을 하였다.

마리제는 흔쾌히 승낙했고, 우리는 차차 비교 문화적이고 국제적인 공동 작업을 하게 되었다. 나는 그녀의 촉진계획서를 각각의 장(章)으로 바꾸는 일부터 시작하였고, 그녀가 제안한 각각의 글쓰기에 자기 주도적인 글쓰기 유도문으로 살을 붙여 그것을 더 구체화하였다. 그녀는 주제 콘셉트를 소개한 짧은 연결글을 쓰는 일부터 시작하였다. 우리 각자는 글쓰기 과정에 실험적으로 참여하고, 그들이 쓴 글을 실례로 제출해 줄 교사들을 초청하였다. 마리제는 글쓰기를 자원한 스페인 교사에게 글쓰기 유도문을 전달하기 위해 그것을 스페인어로 번역하였고, 나를 위해서 그들의 반응을 영어로 번역해 주었다. 나는 배치와 디자인을 하는 추가적인 절차를 진행하였다. 나는 또한 표현적 글쓰기를 소개하는 장을 집필하고, 결론으로 이 책의 개념과 과정을 토대로 동료 그룹을 이끌기 위한 촉진자 가이드를 집필하였다.

멋진 공동 작업이었고, 자원해 준 교사들의 아주 훌륭한 이야기 덕분에 훨씬 더 보람 있었다. 참여 교사 중에는 한두 장에만 등장하는 이들도 있는가 하면 책 전체에 걸쳐 그들의 글쓰기 과정이 나오는 이들도 있다. 어떤 경우이든, 모든 교사가 진정성 있고, 정직하며, 감동적인 목소리로 대화에 참여해 주었다. 그분들에게 감사의 인사를 전한다.

알베르토(Alberto), 고등학교 미술교사
앨리샤(Alicia), 고등학교 스페인어/문학교사
애나(Ana), 고등학교 상업교사
안톤(Antón), 중학교 특수교육교사
캐슬린(Cathleen), 고등학교 미술교사

코니(Connie), K-12 읽기교육전문가
다미앤(Damián), 고등학교 컴퓨터교사
플라비오(Flavio), AP 수학교사
마리아(María), 중학교 스페인어/문학교사
마리아 호세(María José), 고등학교 스페인어/문학교사
마르타(Marta), 고등학교 영어/문학, 스피치/드라마, 저널리즘 교사
나나(Naná), AP 철학교사
사벨라(Sabela), 고등학교 화학교사
셰이(Shay), K-3 초등학교 교사
팀(Tim), 고등학교 영어/문학, 역사교사
토뇨(Toño), 고등학교 체육교사
사비에(Xavier), 고등학교 음악교사
쇼안(Xoán), 중학교 갈라시아어/문학교사

만일 당신에게 감정표현 글쓰기가 생소하다면, 나는 당신이 이 책을 통해서 글쓰기가 당신의 사고를 어떻게 명확하게 하고, 생각과 마음을 열어 진정한 목소리를 내도록 해 주며, 억압된 감정을 털어놓는 해방감을 경험하도록 도와줄 수 있는지 그 다양한 방법을 발견하게 되기를 바란다.

만일 당신에게 가르치는 일이 생소하다면, 나는 당신이 경험이 풍부한 멘토들의 이야기에서 영감을 받아 동기부여가 되기를, 그리고 당신 자신의 이야기를 써 보면서 자신만의 수업 여행을 시작

하기를 바란다.

만일 당신이 매일의 교직 생활에서 끊임없는 요구 사항으로 지쳐 있다면, 나는 당신이 의미와 목적을 발견하고 재충전되기를 바라며, 당신의 가장 본질적인 자신과 재접속되는 것을 경험하기를 바란다.

이 글쓰기 작업은 혼자서 할 때 강력하며, 공동체에서 할 때에는 훨씬 더 강력하다. 당신은 이 책의 2장에서 10장까지 각 장별로 모두 9개의 촉진계획서가 포함된 촉진자 가이드를 볼 수 있다. '교사를 위한 치유저널' 글쓰기 그룹에 당신과 함께할 동료들을 초대하라. 서로를 놀라게 하고 기쁘게 하며 서로에게 영감을 주라.

당신의 글쓰기와 가르치는 일에 축복이 함께하기를!

2013년 4월

캐슬린 애덤스(Kathleen Adams)

추천사

남을 가르치는 일은 결코 쉬운 일이 아니지만, 지금은 교사가 되기에 특히 힘든 때입니다.

나는 최근에 한 친구가 교사를 그만두려 한다고 선언했을 때 또 다시 그런 생각이 들었습니다. “올해가 마지막이야. 더 이상은 못 하겠어.” 케이티는 여전히 교실을 사랑한다고 했지만, 따라야 하는 지역의 압박과 시험 점수를 올려야 한다는 주 정부의 압박 때문에 그녀의 창조적 에너지가 소진되고 있었습니다. “낯선 사람들이 손에 펜을 들고 내가 볼 수 없는 공책에 무언가를 적으면서 내 교실을 걸어 다녀. 그들이 나간 후에 나는 내가 뭘 하고 있는 것인지 모르겠다고 고함치는 모습을 상상해.” 그녀가 이런 말을 할 때, 현실 속 그리고 상상 속 압박감이 그녀 자신의 핵심 신념에서 점점 더 멀리 그녀를 떼어 놓으면서 그녀에게 타협하라고 강요하였다는 점을 분명히 알 수 있었습니다. 교직에 종사하는 다른 많은 교사들처럼 케이티는 10년 전에 도널드 그레이브즈(Donald Graves)가 두려워했던 진실, 즉 교사는 가르치기 위한 에너지를 찾기 위해 투쟁하고 있다는 것을 인식하였는지 모릅니다.[1)]

그래서 지금이 이 책, 『교사를 위한 치유저널』이 가장 필요한 때입니다. 이 책은 교사가 재충전할 수 있게 하고, 에너지를 되찾도록 도우며, 이 직업을 가지도록 교사를 이끈 사랑과 희망을 다시 찾을 수 있도록 할 것입니다. 표현적 글쓰기와 공동체에서의 글쓰기를 통해 교사는 자신의 핵심 신념으로 되돌아갈 것이며, 가르칠 때 필요한 에너지에 다시 불을 붙일 것입니다.

25년이 넘는 시간 동안, 나는 교사들이 작가 공동체에서 감정을 표현하는 글을 쓸 때 어떤 일이 일어나는지를 지켜보았습니다. 교사 컨설턴트로서 그리고 전(前) '콜로라도 글쓰기 프로젝트(Colorado Writing Project)'의 책임자로서, 나는 교사들이 글쓰기교육의 기술을 공부할 수 있도록 도움을 주는 일을 해 왔고 그들이 작가가 될 수 있도록 격려해 왔습니다. 또한 교사들이 공동체에서 글을 쓰고, 자신들의 생각을 발견하며, 탐구하고, 나누면서 어떤 일이 일어나는지를 지켜보았습니다. 교사는 자신의 세계를 살펴보고 자신의 이야기를 하며 언어의 마술을 즐길 때 에너지가 채워집니다. 교사 자신의 이야기를 듣고 싶어 하는 경청자가 있을 때, 교사는 기운이 나고 가르치려는 이유를 기억하게 됩니다.

현명하고 강력한 이 책은 간단하지만 격조 있는 글쓰기 과정을 통해 교사가 글쓰기를 하도록 환영해 주고 이끌어 줍니다. 이 책

1) 역주: 도널드 그레이브즈는 『가르치는 힘(*Energy to Teach*)』(2001)의 저자다. 그레이브즈는 교사직은 감정적 롤러코스터를 타는 일이라고 말하면서 교사가 어떻게 학생들을 가르치고, 균형 잡힌 삶을 살며, 너무 일찍 지쳐 버리지 않고 일할 수 있는지 그 방법을 제시하고 있다.

은 교사가 내면으로 눈을 돌려 그들이 교직 생활을 할 때 품어 왔던 '희망과 기억의 보물 상자'를 열어 보도록 초청합니다. 케이(캐슬린)와 마리제는 교사가 자신의 내면의 목소리—건강한 목소리와 건강하지 않은 목소리—를 듣도록 격려하고, 그런 후에 내면의 건강한 목소리를 잘 키울 수 있는 법과 건강하지 않은 목소리를 잠재우는 법을 알려 줍니다. 케이와 마리제는 교사가 교직 생활의 행복한 순간으로 돌아가도록 안내하고, 교사를 계속 괴롭히는 악마와 씨름할 수 있도록 도와줍니다.

나는 이 책의 각 장을 읽고 교사가 직접 쓴 저널에 나오는 이야기에 몰입하면서, 내가 교사가 되고 싶어 한다는 것을 깨달았던 그때로 다시 돌아갔습니다. 나는 이웃 친구들에게 2페니를 받고 필기체로 쓰는 법을 가르쳤던 일곱 살 때의 내 모습을 볼 수 있었습니다. 나는 또 내가 너무 어려 보일까 두려워 머리를 묶어 올리고, 히피안경은 집에 두고 다녔던 풋내기 선생이었을 때를 기억하였습니다. 나는 졸업한 지 10년이 지난 후에 자신이 힘든 시간을 잘 보낼 수 있게 도와주셔서 감사하다는 인사를 하기 위해 우리 집 현관문을 두드렸던 옛 제자를 떠올렸습니다. 글쓰기 유도문과 예시는 나를 그 옛날로 돌아가게 해 주었습니다.

나는 내가 이 책을 주고 싶은 사람을 이미 알고 있습니다. 자신의 창조성이 짓눌려 버려서 퇴직하려고 하는 케이티에게, 자신이 가르치는 학생들의 점수가 오르지 않는다면 일자리를 잃게 될 거라고 나에게 거의 울면서 말했던 조디에게, 2주 동안 보지 못했던 한 여학생에 대해 걱정하고 이렇게 학생들을 걱정하며 몇 년을 더 견뎌 낼 수 있을지 확신할 수 없다던 샘에게, 새로 온 이상주의적인 교생을 놀렸던 칼에게, 그리고 월마트에 취직하기 위해 교실을 떠나려고 하는 마빈에게 이 책을 주고 싶습니다. 자신의 이야기를 쓰고, 자신의 생각을 탐구하며, 그들을 괴롭히는 악마를 쫓아냄으로써 이들 교사—그리고 수많은 다른 교사—는 그들이 가르치고자 하는 에너지를 가졌던 때로 돌아갈 수 있습니다.

케이 애덤스와 마리제 바레이로는 이들과 같은 교사들을 그 여행으로 안내하는 사람들입니다.

2013년 4월

스티비 쿼트(Stevi Quate) 박사

PEBC(Public Education and Business Coalition)

독립자문위원, 직원개발자

(*Clock Watchers: Six Steps to Motivating and Engaging Disengaged Students across Content Areas*의 작가)

차 례

글쓰기(W.R.I.T.E.)는 쉽다

W(What/무엇을) - 당신은 무엇에 관하여 글을 쓰고 싶은가? 그것이 무엇인지 이름을 붙여서 써 보라(만일 모르겠다면 다음의 주제에서 택하여 글을 쓰라: 지금 내게 무슨 일이 일어나고 있는가? 지금 당신의 기분은 어떤가? 당신은 무슨 생각을 하고 있는가? 당신은 무엇을 원하는가? 해야 할 가장 중요한 일은 무엇인가? 지금 일어나고 있는 일의 가장 좋은 점과 가장 나쁜 점은 무엇인가?).

R(Reconnect/재접속) - 당신 마음의 중심과 재접속하라. 두 눈을 감으라. 심호흡을 세 번 하라. 집중하라. 몸과 마음의 긴장을 풀라. 당신의 생각, 감정, 질문, 발상에 집중하라.

I(Investigate/탐색) - 당신의 생각과 감정을 탐색하라. 쓰기 시작하고 계속해서 쓰라. 펜이나 키보드가 가는 대로 따라가라. 만약 글을 쓰다가 막히면 두 눈을 감고 다시 스스로에게 집중하라. 이미 썼던 것을 다시 읽고, 쓰기를 계속하라. 쓴 글을 편집하려 하지 마라. 만일 필요하면 나중에 하면 된다.

T(Time/시간) - 시간을 재라. 5~20분 동안 혹은 당신이 원하는 시간만큼 글을 쓰라. 전화, 컴퓨터, 오븐 등의 타이머를 사용해서 시간을 정하라. 글을 다 쓴 후에는 성찰을 위해 3~5분을 추가

로 정해 두라.

E(Exit/끝맺음) - 현명하게 끝맺음을 하라. 쓴 내용을 다시 읽어 보고, 한 문장이나 두 문장 정도로 성찰문을 쓰라. '내가 이것을 읽을 때, 나는 ……을 알게 되었다.' '나는 ……을 깨닫게 되었다.' 혹은 '나는 ……을 느꼈다.' 이제 어떤 행동을 할지, 아니면 글을 추가로 쓰기 위해 어떤 글쓰기 유도문을 사용할지 생각하라.

01

왜 글을 쓰는가

이 워크북이 당신에게 어떻게 도움이 될 것인가

나는 열 살때 내 삶을 글로 쓰는 마법을 발견했다. 나는 작은 자물쇠가 달린 5년짜리 다이어리로 시작했다. 그 글쓰기는 1960년대 여성의 '성인이 되는 통과의례'와 같았다. 중학생이 되자 나는 빅 치프(Big Chief)와[1] 보라색 볼펜을 더 이상 사용하지 않았다. 지난 세월 동안 나는 수백 개, 어쩌면 수천 개의 공책과 저널을 채워왔을 것이다.

1) 역주: 빅 치프(Big Chief tablet)는 1960년대에 미국에서 어린 학생들이 즐겨 사용하던 글쓰기 공책이다. 글씨를 배우는 학생들을 위해서 줄 간격이 넓게 되어 있다. 표지에 추장의 머리장식을 한 미국 원주민의 그림이 그려져 있어서 '빅 치프'라고 불리었다.

내 생각, 감정, 느낌, 질문, 관심, 꿈, 고백 그리고 영감을 써 내려가는 것은 나의 감성지능과 문제 해결 능력 그리고 건강한 자아관을 키우는 데 주요한 공헌을 했다. 내 저널과 공책은 진실과 이해를 비추는 지칠 줄 모르는 능력을 가진 호기심 많고 수용력이 풍부한 친구들이다.

저명한 심리학 연구자 페니베이커(James W. Pennebaker)를 선두로 여러 학자에 의해 시작된 사회과학적 연구는 감정표현 글쓰기가 생리학적 건강과 심리적 건강 모두를 향상하는 데 도움이 된다는 것을 입증했다. 어떻게 그리고 왜 이러한 현상이 일어나는지에 관한 다양한 이론이 있지만 일반적으로 자기 자신의 생생한 삶의 경험에 대해 진정성 있는 글을 쓰는 것이 논리적이고 일관적인 이야기를 만들어 내고, 인생의 여러 도전과 어려움 속에서 의미를 찾도록 도와준다는 점에 대해서는 모두가 동의하고 있다 (Pennebaker & Beall, 1986; Pennebaker, 1989; 2004; Smyth, 1998; Frattaroli, 2006). 내가 연구한 바에 의하면 감정표현 글쓰기는 명확성과 통찰력을 제공해 주고, 감정의 안전하고 효과적인 카타르시스(정화)를 통해 감정 조절 능력을 향상시키며, 어려움을 해결할 수 있게 도와주고, 스트레스 관리를 돕는다(Adams, 2013).

비록 대부분의 공식적인 연구가 외상이나 스트레스가 매우 높은 문제에 대한 글쓰기에만 초점을 두고 있다 할지라도, 글쓰기가 주는 혜택을 이끌어 내기 위해서 반드시 깊은 고통의 문제에 대해 글을 쓸 필요는 없다. 2012년 한 연구에서 참가자들은 '일상적인' 문제에 대해 일주일 동안 네 번의 구조화된 방법으로 글쓰기를 하도록 요청받았다. 그리고 거의 모든 참가자가 그 일상적인 문제와 관련된 행동이나 태도에서 의미 있는 변화를 보였다(Adams, 2013).

이 워크북을 적용하는 과정 동안 아마도 당신은 겹겹이 싸인 극도의 피로, 긴장 혹은 스트레스에 묻혀 숨어 있던 힘을 불러일으킬 것이다. 아마도 당신은 당신을 새롭게 하는 과정에서 동시 발생적이거나 우연 같은 복잡한 상황과 마주할 수도 있고 혹은 단순한 행운과 만나게 될 수도 있을 것이다. 아마도 태양은 미지의 안개를 뚫고 그 너머에 있는 창의적이고 활기찬 교사의 모습을 밝게 비춰 줄 것이다. 아마도 당신은 통찰력과 지혜가 빛을 발하는 당신만의 가장 최상의 연습을 하게 될 것이다.

당신은 공동체에 한데 모여 동료들과 같이 글을 쓸 것이다. 그리고 근무일 동안 붐비는 복도나 신음하는 달력 속에서는 발견할 수 없었던 진정한 자기 발견의 이야기를 서로 나눌 것이다.

개개인의 결과와 결론이 무엇이든, 마리제와 나는 이 워크북을 통해 당신이 당신을 재탄생의 승리로 이끌어 줄 당신 내면에 내재된 독특한 자원을 깊이 인식하고 그럼으로써 당신이 새로워지고 더 나아가 영감을 받기를 진심으로 바란다.

– 케이(Kathleen)

글쓰기(W.R.I.T.E.)는 쉽다

다음 다섯 단계를 시도해 보라. 당신도 글을 쓰게 될 것이다!

W(What/무엇을) – 당신은 무엇에 관하여 글을 쓰고 싶은가? 그것이 무엇인지 이름을 붙여 보라(만약 당신이 글쓰기 유도문에 따라 글을 쓰지 않는다면 다음의 주제에서 택하여 글을 쓰라: 지금 내게 무슨 일이 일어나고 있는가? 지금 당신의 기분은 어떤가? 당신은 무슨 생각을 하고 있는가? 당신은 무엇을 원하는가? 해야 할 가장 중요한 일은 무엇인가? 지금 일어나고 있는 일의 가장 좋은 점과 가장 나쁜 점은 무엇인가?).

R(Reconnect/재접속) – 당신 마음의 중심과 재접속하라. 두 눈을 감으라. 심호흡을 세 번 하라. 집중하라. 몸과 마음의 긴장을 풀라. 당신이 글쓰기를 시작하려는 유도문이나 또는 시작할 이야기에 대해 떠오르는 당신의 생각, 감정 그리고 질문에 집중하라.

I(Investigate/탐색) – 당신의 생각과 감정을 탐색하라. 쓰기 시작하고 계속해서 쓰라. 펜이나 키보드가 가는 대로 따라가라. 만약 글을 쓰다가 막히면 두 눈을 감고 다시 스스로에게 집중하라. 이미 썼던 것을 다시 읽고, 쓰기를 계속하라.

T(Time/시간) - 시간을 재라. 주제의 난이도에 따라 5~20분 동안 글을 쓰라. 준비 단계(웜업)와 성찰은 보통 3~5분 이내에 끝내라. 각각의 장에서 주된 글쓰기 활동은 10~15분 안에 하는 것이 효과적이다.

E(Exit/끝맺음) - 쓴 내용을 다시 읽어 보고, 한 문장 혹은 두 문장 정도로 성찰문을 씀으로써 현명하게 끝맺음을 하라. '내가 이것을 읽을 때, 나는 ……을 알게 되었다.' '나는 ……을 깨닫게 되었다.' 혹은 '나는 ……을 느꼈다.' 당신이 취할 수 있는 행동 단계를 생각해 보라. 전반적인 성찰을 위한 공간이 각 장의 끝 부분에 지정되어 있다. 명료함과 통찰력으로 가는 놀라울 만큼 효과적인 방법이기 때문에, 당신은 각각의 주된 글쓰기 이후에 성찰하기를 원할 수도 있다.

만족스러운 글쓰기를 위한 제안

표현적 글쓰기에는 (정확한 철자와 문법, 수기인지 혹은 컴퓨터로 쓰는 것인지 등에 대한) 어떤 '규칙'이 없기 때문에 실수라는 것은 없다. 하지만 많은 사람이 다음과 같은 제안을 명심함으로써 유익을 얻을 수 있다.

① 글쓰기는 사적인 것임을 유의하라. 특별한 장소(책가방, 침실 탁자, 책상 서랍)에 공책(혹은 만약 이 책에 있는 빈칸을 활용해 글을 쓴다면 이 책을)을 조심스럽게 숨겨서 마음의 평화를 얻고, 호기심 어린 눈으로부터 스스로를 보호하라. 만약 컴퓨터에 글을 쓴다면, 당신만 해독할 수 있는 모호한 파일명을 설정하라.

② 내면에 집중함으로써 글쓰기를 시작하라. 감정표현 글쓰기는 내면으로 향할 때 유익함을 얻는다. 글을 쓰기 전에 두 눈을 감고 심호흡을 하여 몸과 마음의 긴장을 해소하라. 이것을 몇 번 더 반복하라. 당신이 탐험하고자 하는 곳에 생각을 모으라.

③ 글을 쓸 때마다 날짜를 쓰라. 만약 글쓰기에 규칙이 하나 있다면, 그것은 바로 이것일 것이다. 글을 쓸 때마다 날짜를 표기하는 것은 연대기적인 이야기를 구성하도록 한다. 또한 저

널을 쓰지 않은 공백기의 침묵의 소리를 듣게 해 준다.

④ 다시 읽고 성찰하라. 각각의 글을 다시 읽고, 한 문장이나 두 문장 정도로 성찰을 하라. 이것을 읽고 '……을 알게 되었다.' '……을 깨달았다.' '……에 놀라게 되었다.' 혹은 '……을 느낀다/생각한다/원한다.' 이러한 성찰은 표현과 직관적인 이해를 통합해 준다.

⑤ 빠르게 쓰라. 내면의 비판자와 편집자가 따라오지 못하도록 빠르게 글쓰기를 함으로써 글쓰기 장애를 극복할 수 있다.

⑥ 쓰기 시작하고, 계속해서 쓰라. 일단 글쓰기를 시작하면 펜이 계속 움직이게 하라. 비록 저널을 편집할 필요는 결코 없지만, 만약 원한다면 나중에 결함을 편집하고 수정할 수 있다.

⑦ 당신이 아는 대로 진실을 말하라. 그것에 대해 쓴다고 '현실'이 되는 것은 아니다. 글로 쓰면 그것에 주목하고 깨닫게 된다. 당신이 알고 있고 경험한 진실을 말할 때, 당신은 당신의 추정에 도전하고, 현실을 인식하며, 비밀을 털어놓고, 생각과 마음 그리고 행동을 바꿀 여지를 갖게 된다.

⑧ 자연스럽게 글을 쓰라. 당신에게 가장 효과적인 방법으로 글을 쓰라. 손으로 쓰는 것보다 키보드를 사용하는 것이 더 편

하다면 그렇게 하라. 굵은 펜 혹은 가는 펜으로 쓰고 싶다면 그렇게 하라. 만약 예쁜 하드커버로 된 공책에 흠집을 냈거나 낙서로 '지저분하게' 했다면, 그래서 뭐 어떤가? 지저분한 것을 콜라주로 꾸미라. 내면의 지혜와 직감에 마음을 열고 당신 내면의 안내자를 따라가라.

02

내 이야기의 뿌리

옛날 옛적에

옛날 옛적에 우리는 교사가 되었다. 우리는 아주 어릴 때부터 모아 온 경험, 희망 그리고 기대로 가득 찬 보물 상자를 가지고 전문가로서의 여행을 시작하였다.

옛날 그 언젠가 우리가 교사가 되기로 결심했던 순간이 있었다. 우리 각자는 교사가 되는 것을 선택하도록 한 서로 다른 이야기를 살았다. 그 이야기는 우리가 세상에 무엇을 어떻게 주고 싶은지 우리 자신에게 질문했으며, 우리 삶의 특별한 생활환경에서 어떻게 그 답을 기다렸는지에 관한 이야기다.

이런 일이 어떻게 일어날 수 있었는지에 대한 셀 수 없이 다양한 이야기가 있다. 어쩌면 우리는 교사에 관한 무용담 속에서 태어나 가족 전통에 따라 교사가 되었을지도 모른다. 또는 어쩌면 소명 의식을 느껴 가족 중에서 처음으로 교사가 되었을지도 모른다. 아마도 우리는 항상 아동이나 십 대 청소년과 커다란 연관성이 있어서 그들과 함께 일하고 싶었을지도 모른다. 또는 가르치는 일이 가장 좋아하는 분야의 지식을 활용하는 최고의 전문적인 출구가 되었을지도 모른다. 어쩌면 위대한 이상을 추구하고 세상을 변화시키고 싶어 했을지도 모른다. 또는 전통적이고 현실적인 학교 방식과 규칙적인 규범의 틀에 마음이 끌렸을지도 모른다.

종종 우리는 우리가 어렸을 때 우리에게 감동을 주었던 교사, 우리의 타고난 재능과 경이로움을 느끼는 능력을 키워 주고 가르치는 일에 대한 그들의 사랑을 우리에게 심어 준 그런 교사에 대한 기억에 영향을 받는다.

우리가 가르치는 일을 시작하였을 때 지녔던 희망과 추억의 보물 상자는 잠재력으로 가득 차 있었다. 종종 교직에 첫발을 디딘 교사는 우리가 되고 싶은 교사가 어떤 교사인지 분명히 규정하려고 노력할 때 은혜와 영감의 시기를 갖게 된다. 그때가 그 초기 시절의 정점을 이루는 때이며, 우리에게 가능성이 열려 있었던 때다.

우리가 그러한 이야기를 되돌아보고 기억하려고 한다면, 아마도 그 상자에는 여전히 귀중하고 놀라운 선물이 간직되어 있을 것이다.

– 마리제(Marisé)

내 이야기의 뿌리를 찾기 위한 글쓰기 웜업

내가 장차 교사가 될 것이라는 것을 알았던 때는…….

나는 ……때 교사가 되었다.

✎ 교사저널에서

나는 내가 유치원에 다닐 때 앞으로 교사가 될 것이라는 것을 알았다. 나는 선생님의 조교였다. 나는 이미 글을 읽는 법, 신발 끈을 묶는 법, 그리고 내 이름을 쓰는 법을 알고 있었다. 그래서 나는 선생님을 도와 내 또래 친구들에게 내가 알고 있던 것을 가르쳐 주었다. 나는 약간 으스댔을지도 모른다. 하지만 나는 스스로 리더십의 자질을 가지고 있다고 생각하는 걸 좋아했다.

– 코니(Connie), K-12 읽기교육전문가

내가 교사가 될 것이라는 것을 알았던 때는 나의 삼촌이 내게 앞으로 더 많은 체육교사가 필요할 거라고 말했을 때였다. 그때 나는 열여섯 살이었고, 스포츠를 좋아했으며, 아주 건강했다. 바로 그때가 그 길을 가려고 마음먹은 시점이었다.

– 토뇨(Toño), 고등학교 체육교사

나는 결혼과 출산 및 양육으로 중단되었던 대학 과정을 마친 후에 선생님이 되었다. 대학교에 입학하고 학사 학위를 받기까지 12년이 걸렸다. 그때까지 나는 임시 자격증으로 3년 동안 교사로 일한 경험이 있었고, 세 아이의 엄마였다. 나는 유치원을 좋아했다. 첫날 나는 내가 바른 선택을 했다는 것을 알았다. 공립학교에서 지낸 32년 중에서 12년을 유치원에서 지냈다. 나는 아동의 성장 · 발달을 연구하는 것이 대단히 즐겁다.

– 셰이(Shay), K–3 초등학교 교사

#01. 내게 영향을 주었던 교사

당신이 학교에 다닐 때, 나쁜 영향이든 좋은 영향이든 영향을 주었던 교사들 중 한 사람에 대하여 글을 쓰라. 그 교사와 당신의 관계를 묘사하라. 당신이 선택한 어떤 방법으로든 자유롭게 쓸 수 있다. 만일 당신이 시작하는 법을 모른다면, '옛날 옛적에……'라는 구절로 시작하라.

✎ 교사저널에서

그 선생님은 무언가 특별했다. 어쩌면 그 선생님은 나이가 많아서 다른 사람들에게는 부족한 능력이 있었을지도 모른다. 그 선생님은 마린 고등학교의 철학교사였다. 그분은 어려운 개념을 굉장히 쉽게 잘 설명하는 선생님으로 인기가 많았다. 그분은 철학을 사랑하셨다. 우리는 그분이 그런 어려운 개념과 역사적인 사실을 설명하는 것을 즐거워한다는 것을 알 수 있었다. 그분은 그러한 개념을 명확하게 설명하는 데 집중하셔서 끊임없이 단어, 아이디어, 화살표로 칠판을 채우셨다. 하도 열심히 몸짓으로 설명하셔서 그의 이마, 얼굴, 옷이 분필 가루로 뒤덮인 것을 알아채지 못할 정도였다. 그분이 그런 것에 신경 쓰지 않는다는 것이 확실히 보여서 우리는 그런 모습의 선생님이 좋았다.

하지만 그 무엇보다 내가 가장 좋아한 점은 선생님이 우리에게 흔쾌히 시간을 내어 주시는 것이었다. 대학 입학시험이 가까웠을 때, 그분은 우리가 시험을 잘 준비할 수 있도록 도와주기 위해 스터디 모임에 종종 오셨다. 선생님은 가장 복잡한 개념을 우리가 쉽게 이해할 수 있도록 새롭게 정리해 주셔서 우리를 놀라게 하시곤 했다. 그 후 당시의 친구들을 만날 때마다 우리는 철학 수업이 최고였다는 것에 항상 의견을 같이한다. 그 선생님에 대한 기억은 오직 따뜻함뿐이다. 나는 분필 가루로 뒤덮인 선생님의 이마를 결코 잊지 못할 것이다.

– 토뇨

메릴 중학교의 버시 선생님은 내가 7학년과 8학년 때 영어와 역사를 가르치셨고 나의 담임 선생님이셨다. 대학교를 갓 졸업한 아주 젊은 선생님이셨다. 우리는 그분이 처음 맡은 학생들이었다. 그분은 우리보다 겨우 열 살 위였다! 그분은 작은 키에 짙은 색의 짧은 머리를 하고 계셨고, 피부에는 잡티가 없었다. 품사와 도표를 설명하실 때 또는 고대 로마 역사를 이야기로 들려주실 때 선생님의 검은 눈은 반짝반짝 빛났다. 선생님이 손으로 공중에 형상을 만들면서 이야기를 하실 때 내가 마음속으로 고대 로마의 광장을 상상했던 것이 기억난다. 그분은 내게 언어의 구조를 가르쳐 주시고, 학기 말 리포트를 작성하는 법, 역사에서 매력을 찾아내는 법을 가르쳐 주셨다. 나는 그분을 좋아하였고, 그분의 성적을 매기는 법, 훈계하는 법과 칭찬하는 법, 그리고 일관성 있고 명확한 그분의 기대가 좋았다. 그러나 무엇보다도 나는 선생님이 우리가 단지 어린 소녀가 아닌 중요한 사람인 것처럼 우리의 이야기에 귀 기울여 주시고 우리에게 이야기해 주시는 것이 좋았다.

– 캐슬린(Cathleen), 고등학교 미술교사

#02. 나의 최초의 교수/학습

당신이 처음 학생/교사였을 때 있었던 이야기 중에서 한 가지를 글로 써 보라. 당신을 흥미롭게 하거나 기분 좋게 하는 어떤 방법으로든 글을 써 보라. 만일 글이 써지지 않는다면, '나는 결코 ……을 잊지 못할 것이다.'로 시작해 보라.

✎ 교사저널에서

나는 처음 드라마 수업 중간에 내 스커트가 내려갔던 때를 결코 잊지 못할 것이다. 그날 수업은 횡격막 호흡에 관한 수업이었다. 나는 귀여운 블라우스와 새 랩스커트를 입고 있었다. 나는 교실에 꽉 들어찬 학생들 앞에 서서 손을 배 위에 얹고 도표로 발성법을 시연해 주고 있었다. 나는 공기를 최대한 가득 들이마시고는 과장해서 내 배를 잔뜩 부풀렸다. 그런데 그때 툭툭 하는 소리와 함께 랩스커트의 허리 매듭이 뜯어지는 소리가 들렸고, 내 스커트는 겹쳐진 뒷부분이 열린 채 막 바닥으로 흘려 내려오고 있었다. 나는 스커트가 무릎 아래로 내려오기 전 재빨리 앞부분을 붙잡아 허리 위로 올렸다.

순간적으로 나는 학생들에게 무대에서 퇴장할 때는 얼굴을 어떻게 관객을 향하고, '관객에게 열린' 자세로 어떻게 퇴장해야 하는지에 대한 새로운 교육을 시작했다. 나는 그 기술을 시연하듯이 뒤쪽이 다 열려 버린 랩스커트를 붙잡고 몸은 학생들을 향한 채 옆걸음으로 교실을 퇴장했다. 눈치 빠른 조교가 밖에서 얼른 핀으로 스커트를 교정해 주었다. 나는 '극적으로' 퇴장한 지 1분도 안 되어서 다시 교실에 등장하였다. 관객에게 열린 자세로!

– 마르타(Marta), 고등학교 영어/문학, 스피치/드라마, 저널리즘교사

나는 처음 교사로서의 일을 시작했을 때 내가 있을 곳을 찾기가 어려웠다. 나는 내가 너무 작고 어리다고 느꼈다. 나 외의 모든 사람은 다 무엇을 해야 하는지 알고 있는 듯했다. 나는 내가 있을 곳이 어디인지 몰라 복도를 헤매었다. 나는 어떤 한 교사가 내 손을 붙잡고 나를 교사 휴게실로 밀어 넣어 주던 그날을 결코 잊지 못할 것이다. 나는 내가 그곳에서 환영받을지 알 수 없어서 그 휴게실을 며칠째 그냥 지나쳤었다. 교사 휴게실에 들어섰을 때, 나는 비로소 내가 교사로서의 일을 시작한 기분이 들었다.

– 나나(Naná), AP 철학교사

쓴 글을 되돌아보며

이 장에서 당신이 쓴 글을 다시 읽고 성찰문을 써 보라. 당신의 글을 읽으면서 무엇을 깨달았는가? 놀란 점이 있는가? 신체적인 또는 본능적인 반응이 있는가? 통찰이나 '아하!'의 순간이 있는가?

✎ 교사저널에서

이 글쓰기 유도문은 학생, 교생, 공립학교 교사, 그리고 읽기교육전문가였던 나에 대한 많은 기억을 되돌아보게 해 주었다. 만일 내가 처음부터 다시 시작하게 된다 해도 나는 여전히 교사가 되기로 선택할 것이다. 나는 내가 이 직업을 선택한 것을 자랑스럽게 생각한다.

– 코니

나는 20년간 교사로 있다. 나는 몇몇 훌륭한 교사가 십 대 학생들에 대한 어려움 때문에 낙담하는 것을 보았다. 나의 철학 선생님은 내가 이 직업을 이해하는 방식에 커다란 영향을 주었다. 우리는 그분이 뛰어난 철학자라는 것을 알았지만, 그 때문에 내가 그분을 그렇게 많이 좋아한 것은 아니었다. 그 선생님을 특별하게 만든 것은 학생들과의 친밀함, 자신이 가르치는 과목에 대한 애정, 그리고 탁월했던 공감 능력이었다.

– 토뇨

03

교수법의 진화

나의 진화 이야기

우리의 교사로서의 삶은 진화적인 여행으로 보일 수 있다. 우리는 우리 자신에 대한 그리고 교육계에 대한 일련의 기대와 함께 가르치는 것을 시작한다. 하지만 우리는 일하는 것을 시작하자마자 실제 현실에 파묻힌다. 우리는 여러 도전, 고통, 그리고 가르치는 기쁨에 반응하고 적응하는 우리 자신을 보면서 우리가 누구인지를 발견하게 된다.

교사로서 일하며 사는 내내 우리는 끊임없이 우리 자신의 실수를 통해 배우게 된다. 우리는 스스로에게 새로운 탐험의 통로를 열어 줄 질문을 던진다. 우리는 각각의 세대마다 그 자체의 특성과 학습 과정에 대한 장점과 단점을 가진 한 무리의 학생이 오고

갈 때 인식하게 되는 필요에 따라 특정한 훈련 과정을 선택한다. 몇 번이고 반복적으로 우리는 우리가 교실에서 할 수 있는 것의 한계, 우리의 개인적인 한계, 그리고 특정한 학교 규율의 틀 안에 있는 특정한 그룹을 대할 때의 위험을 시험한다. 경험은 최고의 교사다. 숙련된 교사는 실제로 수십 년이 넘도록 그러한 연습과 헌신을 해 온 현명한 남성과 여성인 것이다.

우리는 스스로의 발전을 생각해 볼 때 표현하고 성취하기 위해 애써 왔던 것(그리고 그 과정에서 직면하고 극복해야만 했던 내면적 문제뿐 아니라 외면적인 어려움)을 떠올릴 수 있을 것이다. 지금의 우리 모습과는 매우 다른 사람처럼 느껴지는 그런 기간이 있을 것이다. 때때로 우리는 마치 원형으로 도는 것처럼 어느새 같은 상황의 매우 다른 형태의 삶을 살고 있는 자신을 발견하게 될 것이다. 아마도 '최악의 때'와 '최고의 때'는 수십 년을 거치면서 많은 유사성을 갖게 될 것이다.

삶은 우리에게 이렇게 반복되는 주제와 형태에서 새로운 배움의 가능성을 제시한다. 이러한 것 안에는 교사로서 개개인이 하게 될 발전적인 여행의 가장 심층적인 의미와 숨어서 자라나고 있는 다음에 피어날 꽃봉오리도 있다.

– 마리제

교사로서의 진화를 위한 글쓰기 웜업

교사로서 나는 ……한 점에서 진화하고 있다.

교사로서의 내 삶의 이야기는 ……한 것 중 하나다.

✎ 교사저널에서

'교사로서 나는 진화한다.' 이 문장은 세기를 통해, 침팬지에서 유인원으로, 유인원에서 크로마뇽인으로, 그리고 지적인 사업가로까지 인류 발전으로서의 인간의 발달을 보여 주는 인류 진화의 예술을 나에게 상기시킨다. 나는 처음 몇 년 동안 교실에서 나 자신이 한 마리의 원숭이인 것처럼 느꼈다. 그리고 차차 두 발로 일어설 수 있는 자신감을 얻었고, 마침내 똑바로 그리고 자신 있게 교실에 서 있을 수 있었다. 하지만 마치 한숨과 함께 자신의 발전과 결점을 되돌아보는 인간처럼 나 또한 여전히 진화 중이고, 그리고 소망하건대 전진 중이다.

– 팀(Tim), 고등학교 영어/문학, 역사교사

교사로서 나는 개성이 다른 학생들 개개인에게 더 관심을 두는 방향으로 천천히 진화하고 있다. 그리고 그러한 관점에 근거하여 나와 학생들의 관계도 진화하고 있다. 나는 각 학생의 정체성과 반 친구들과의 관계에 관심을 기울이려고 노력하고 있다. 나는 덜 지시적이고, 더 유동적이며, 이론적인 내용은 줄이고 자기 주도적 학습에 더 가치를 두는 쪽으로 진화한다.

– 알베르토(Alberto), 고등학교 미술교사

교사로서의 나의 삶의 이야기는…… 좋은 남편이면서 좋은 아빠, 그리고 동시에 좋은 교사가 되려고 항상 노력한다는 것이다. 나는 그것에 성공적이지 못했다. 이 세 역할을 잘하게 되는 것은 정말 어려운 일이다. 아마도 나는 이 세 가지에서 최소한 중간 정도는 되었을 것이다.

– 팀

#03. 교사 생활 연대기

당신의 교육 경력에서 전환점이 되었던 시간으로 연대표를 만들라. 당신이 '여기서부터 내 인생이 바뀌었고 나는 과거에 그랬던 방식으로 결코 돌아가지 못했다.'고 생각하는 이정표가 되는 장소, 사건, 단계를 표시하라.

당신이 시작점이라고 생각하는 것이 무엇이든지(대학, 교생 실습, 첫 수업) 그것으로부터 시작하고, 당신의 진화 역사를 적어 보라. 당신의 개인적 그리고 직업적 발전에 지속적인 영향을 끼치고 있다고 인식하는 내적 또는 외적 사건을 포착하라. 당신의 연대기는 긍정적, 부정적 혹은 중립적인 폭넓은 경험의 범주를 포함하게 될 것이다. 어떤 순서로든 그 사건의 목록을 만들고, 그들이 이야기를 할 수 있도록 그것을 연대기적인 순서로 정리하라.

✎ 교사저널에서

마르타의 진화

- 내가 교사직으로 태어나게 된 것은 스피치와 드라마 학과의 학사 학위와 교사 자격증을 가지고 졸업했을 때다.
- 나는 작은 산악도시에서 처음으로 교사가 된다. 나는 영어과 교사 2명 중 1명이다.
- 작은 산악도시에서 2년을 생활한 후에 나는 사표를 내고 도시로 돌아온다.
- 두 번째 직업을 가진다. 그곳은 같이 일하는 동료들이 협조적이고, 행

정 부서는 우호적으로 지원해 주며, 아이들 대부분은 수용적인 마법의 세계다. 변두리 생활아, 반갑다!

- 학교는 신문사 지도교사가 필요하고, 내가 뽑힌다. 나는 내가 결코 공부하거나 가르친 적 없던 언어의 예술인 저널리즘을 가르치고 지도하는 일과 사랑에 빠진다.
- 나는 연극 연출, 신문 출간에 걸리는 모든 추가 시간뿐 아니라 하루 5시간의 수업을 계획하고 가르치는 데 걸리는 많은 시간 때문에 힘이 든다. 나는 밤 12시에 숙제를 시작하던 예전 대학교 때의 생활 습관으로 되돌아가서 늦은 밤 학생들의 성적을 매겨야 한다.
- 나는 석사 학위를 취득하고 삶의 활기를 찾기 위해 연구년을 신청한다. 그동안 학교가 있는 지역이 새로운 고등학교를 위한 공사에 착수한다. 나는 새로운 시작을 구상한다.
- 나는 신설된 실험 고등학교로 전근을 가게 된다. 나는 새로운 환경, 비전을 가진 교장, 많은 새로운 교수법과 함께 다시 살아나게 된다.
- 미국 연방 대법원은 공립학교가 학생들의 출판을 위한, 출판의 자유라는 제1항을 수정하는 것을 제한할 재량권을 가지고 있다고 규정한다. 교장 선생님의 축복 속에 나는 학교 신문에 대한 제1항의 권리를 보장하는 법의 초안 작성과 통과를 위해 미국 입법부에의 로비를 옹호하는 캠페인을 발전시키고 이끈다. 이 법률은 통과된다. 나는 올해의 콜로라도 저널리즘교사로 뽑히게 된다.
- 우리 학교의 신문은 지역, 주, 그리고 국가에서 수여하는 상을 받고, 나의 학생들은 개인 부문에서 글쓰기 상을 받는다.
- 몇 년 후에 나는 정말 여유가 없고, 고갈되며, 위기를 느낀다. 나는 과

로 상태가 되어 가는 중이다. 나는 다시 안식년을 갖고 체코에서 사업가들에게 영어를 가르치기 위해 여섯 달 동안 프라하로 이사한다.

- 나는 다시 가르치는 것과 사랑에 빠져서 돌아온다. 나는 ESL 프로그램을 시작하는 업무를 맡고 있으며, 올해의 전국 저널리즘교사상에서 차석을 한다.
- 나는 은퇴가 멀지 않았고, 학교에서 또 다른 교장 선생님을 만나 신선하며, 젊고, 첨단기술을 지닌 교사에게 신문사 지도교사의 일을 넘겨준다. 그리고 ESL 프로그램을 구축하는 데 집중한다.

나나의 교사 생활 연대기

- 첫 번째 수업: 모두 남학생이다. 나는 권위 있는 교사처럼 보이고 싶지만 그 방법을 모른다.
- 첫 번째 실망: 나는 학생들을 이해하고 그들과 대화하려 노력하지만 몇몇 학생은 여전히 나를 조롱한다.
- 나는 십 대 청소년들이 서로에게 상처를 준다는 것을 깨닫는다. 그게 청소년이다.
- 나는 몇몇 규칙을 깨뜨리고, 교재를 염두에 두지 않으며, 새로운 것을 시도한다.
- 나는 내가 늘 하던 방식을 바꾼다. 나 스스로 소크라테스 문답법을 훈련하고, 질문을 제기하며, 그 답을 주입하지 않고 흘러나오도록 한다. 이러한 방법은 속도는 느리지만 효과는 있다.
- 나는 문학교사와 팀티칭을 한다. 우리는 교과과정 외의 활동을 함께 고안한다.

- 나는 학생들의 애정을 느끼는 것이 중요함을 발견한다. 일시적이지만 중요하다.
- 나는 관리자가 된다. 학생들의 가족과 매일 연락한다. 몇몇은 절망적인 상황에 놓여 있다. 나는 규칙을 강화해야 한다. 나는 여러 의견에 귀를 기울이는 법을 배우고, 나 스스로 결정을 내린다. 이것은 개인적 성장의 시간이다.

#04. 주제, 유형, 은유

당신의 교사 생활 연대기를 성찰해 보라. 그 주제와 유형은 무엇인가? 이 연대기는 어떤 이야기를 말해 주는가? 교사로서 당신 여행의 은유는 무엇이 될 것인가?

✎ 교사저널에서

은유로 말한다면 교사로서의 나는 식충식물이다. 나는 내가 게걸스럽게 먹을 수 있는 것을 보며 입을 벌린 채로 서 있다. 나는 항상 새로운 것을 시도하고 더 많은 것을 취한다.

– 나나, AP 철학교사

내 연대기는 미술에서 컴퓨터의 발견과 함께 시작하는 이야기이고, 환희에서 시작되어 유추적, 치료적, 그리고 정신적인 것을 향한 점진적인 발전이다. 그것은 자신감, 가치의 변화, 균형의 추구, 인지적인 것에 대해서는 적은 가치를 두지만 살아 있는 경험에 대해서는 많은 가치를 두는 것, 감정, 그리고 각각의 본질의 힘에 대한 이야기다.

– 알베르토

나는 강이다. 수십 년을 흘러온 강이다. 나는 여러 번 거의 메마르게 되었다(특히 오랜 가뭄 기간 후에). 하지만 근본적으로 나는 내가 접촉하는 사람들에게 영양분을 전달한다. 나는 그들이 꽃을 피우고, 내가 내 방식대로 바위 주변에서 얽히고 돌아가는 것처럼 그들도 스스로의 방식으로 흘러

가는 것을 지켜본다. 나는 유리처럼 부드럽지만, 때로는 시골길이 얼마나 좁거나 깊은지에 따라 거칠고 분노하기도 한다.

– 마르타, 고등학교 영어/문학, 스피치/드라마, 저널리즘교사

나의 교사 경력은 산속의 길과도 같다. 때때로 넓어지기도 하고, 때때로 절벽에 다다를 때는 좁아지기도 한다. 때로 그것은 나에게 부드러운 경사와 쉬어 갈 수 있는 잔디밭이 있는 놀라운 풍경을 제공한다. 때로는 그것이 너무나도 가파르고 좁아서 내가 절벽 아래 심연으로 떨어질 것처럼 느끼기도 한다. 하지만 그 후에 내가 그 위험을 지나 다시 길을 걷게 되면, 길은 내가 침착하고 부드럽게 걸을 때 나에게 아름다움과 영양분을 제공한다.

– 애나(Ana), 고등학교 상업교사

수많은 불확실성, 무계획성, 상황에 내던져짐, 통제의 결여, 꺾여 버린 꿈, 무수한 모험, 사람들을 만나는 것. 드넓은 바다에서 바람이 가는 대로 맡기고, 명령을 따르며, 단순한 성공을 이루고 이런저런 항구에 다다르는 요트 경기를 하는 한 평범한 선원.

– 팀

#05. 교사로서 나의 진화 이야기 탐구하기

당신의 연대기로부터 진화적인 단계가 언제였는지 그것 중 하나를 선택하여 그것을 탐구하라. 그 시간, 문화, 환경, 느낌, 믿음, 희망, 꿈에 몰입하라. 발전적인 이야기를 탐구하라.

✎ 교사저널에서

나의 교사 생활에서 가장 중요한 전환점은 내가 덴버 외곽 지역에 있는 새로 생긴 한 고등학교에 지원했을 때다. 나는 내 아내와 두 살 된 딸과 스키 리조트 마을인 스팀보트 스프링즈에 살고 있었고, 그 구역의 학교에 세 번이나 지원했으나 세 번째 인터뷰에서도 떨어져 무척 괴로워하고 있었다. 나는 교외 지역의 학교로 눈을 돌렸다. 그 아주 작은 행운이 영어과에서 22년 동안 가르치게 되는 나의 교사 생활의 문을 열어 주었다. 그곳에서 나는 많은 훌륭한 교사에게 배웠고, 인맥도 넓어졌으며, 아주 재능이 있는 젊은 작가(나의 학생들)와 같이 일하게 되었다. 나는 그 산악 지역을 떠나는 것이 정말 싫었지만, 그 대신 내 아내의 가족과 가깝게 살게 되었고 우리 아이들—곧 아들이 태어난다—을 이 즐거운 지역사회에서 기르게 되었다.

– 팀

교사 경력이 20년째가 되어 오면서 나는 업무에 지치고 텅 빈 상태가 되었다. 나는 안식년을 신청했고, 멋지고 상세한 계획 A를 준비하게 되었다. 봄이 되었다. 내가 한 학생 그룹을 데리고 유럽으로 가는 일을 준비할 때, 나는 계획 A가 점점 구체화되면서 실행 가능한 것이 아님을 알게 되었다. 나는 계획 B는 가지고 있지 않았다. 여름이 되었다. 나는 아이들을 유럽에 데려갔고, 즉각적으로 프라하와 사랑에 빠지게 되었다. 나는 기차 안에서 한 소녀와 대화를 나누고는 돌아가서 영어를 가르치기로 결정했다. 나는 구체적인 계획 없이 도시에 도착했다. 내 수하물을 계단 위까지 들어 준 친절한 신사가 교사를 채용 중인 한 영어 어학원에 대해 나에게 말해 줬고, 나는 그다음 날 아침에 그 학원의 문을 두드렸다. 나는 "저는 영어 석사 학위를 가지고 있고 20년의 교사 경력이 있습니다."라고 말했다. "환영해요." 그들이 말했다. 3일 안에 나는 직업, 새로운 거주지, 그리고 아주 많은 국제적인 친구를 가지게 되었다.

나는 한 반에 15명 정도 되는 성인을 일주일에 25시간 가르치는 일을 했다. 그곳은 천국이었다!

날마다 흔히 사용되는 워크북 연습 문제의 균형을 잡아 줄 무수히 많은 가르치는 것에 대한 아이디어가 파도처럼 나에게 쏟아진다[청취 실력을 키우기 위해 오래된 라디오 쇼를 제작하고 녹음하기? 문제없다! 발음 실력을 키우기 위해 포(Poe)의 「종소리」[1]를 다 같이 읽기? 한번 시도해 보자!]. 나는 주말마다 여행과 역사에 푹 빠져 살았다. 나는 임대한 방에서 간소하게 살았고, 그동안 고향에서는 너무나도 바쁜 탓에 철저하게 자아가 없는 삶을 살면서 거의 짓밟혀 있던 나의 참자아와 다시 교감하게 되었다. 나는 새롭게 원기가 재충전되어서 다음 10년의 교사 생활을 맞이할 준비가 되어 집으로 돌아왔다.

– 마르타

1) 역주: 에드거 앨런 포(Edgar Allan Poe)의 「종소리(The Bells)」는 여러 종류의 종소리를 묘사하는 의성어로 가득 찬 운율이 뛰어난 시다.

쓴 글을 되돌아보며

교사로서 당신의 발전을 성찰해 보라. 무엇을 깨닫는가? 전에는 몰랐던 새로운 깨달음의 순간이 있는가? 무엇이 당신을 놀랍게 하는가? 당신이 전과 다르게 이해하거나 보는 것이 있는가?

✎ 교사저널에서

나는 깨달았다. 내 삶의 어려움이 나의 교사 역할에 어떤 영향을 끼치는지를. 내가 극복해야만 하는 각각의 절박한 상황은 다 중요하다. 각각의 어려움은 오래된 방식을 돌아보고 돌이켜 새로운 길로 가도록 길을 열어 준다. 새로운 방식은 단순하며 학생들과의 진실한 연결을 가능하게 해 준다. 나는 나의 삶이 예술과 교육, 삶과 교육 사이의 밀접한 연관성에 개입하는 방식에 놀란다. 나는 또한 누군가가 뿌린 씨앗이 계속해서 자라나고 전파되어 가는 것을 보고 매우 놀란다.

– 알베르토

나는 두 가지를 깨달았다. ① 교사의 과로는 얼마나 위험한 것인가, ② 학교 행정부가 교사에게 다시 활력을 찾아 줄 수 있는 연구년과 같은 휴직 시간을 위한 프로그램에 자금을 제공하는 것이 얼마나 중요한가. 교사의 과로는 아주 현실적인 문제이며, 감수성이 예민한 어린 학생들의 마음에 남게 될 결과를 생각해 볼 때 정말 위험한 것이다. 나는 내 외과 의사나 전투기 조종사가 그들이 하는 일에 신경 쓰지 않는 걸 원하지 않는다. 교사가 지치고 고갈되었기 때문에 학생이 제대로 준비되지 않은 수업을 견뎌야 하고, 학생의 발전에 대한 피드백을 받을 수 없다는 것은 잔인한 일이라고 생각한다. 나는 두 번의 연구년을 받았고, 두 번 모두 다음 10년 동안 질 높은 가르침을 할 수 있도록 나를 회복시켜 주었다.

– 마르타

나는 항상 가르치는 것이 점점 수월해지고 (공립교육의 지원이 이루어진다거나 해서) 상황이 더 나아질 것이라고 생각했다. 나는 내 어린 자녀들을 돌보고, 깨어 있는 시간의 대부분을 학교와 연관된 업무를 처리하면서 보내는 것이 얼마나 힘들었는지 기억하고 있다. 이제 내 아이들이 어느 정도 성인이 되었기에 쉬워졌지만, 여전히 성적을 내고, 계획하며, 품행 문제를 다루고, 부모님들을 진정시키는 것은 어려운 일이다. 사람들이 공립교육을 보는 방식은 명백히 힘이 빠지는 일이다. 따라서 내 진화는 교사직에 대한 낙관과 열정에서 가르치는 일에 대한 실망과 낙담으로 변화된 것이라고 생각한다.

– 팀

04

관례와 반복되는 일상

도움이 되는 관계 혹은 고통스러운 관계

가르치는 일은 스트레스가 많다. 과로, 우울함 그리고 스트레스와 관련된 건강 문제가 우리 교사들에게는 높은 비율을 차지한다. 특별히 부정적인 사건이 일어나지 않은 전형적인 학기 말 무렵이 되면, 우리는 아마도 긴장되고 진이 빠지며 기진맥진하다고 느낄 것이다.

우리는 저글링 곡예사처럼 권력 기관, 학생들 그리고 사회로부터 받는 때로는 모순되는 모든 요구의 균형을 유지하려 애를 쓴다. 우리는 자주 우리가 동의하지 않는 규칙을 따르도록 강요받음으로써 고통스러운 내적 갈등을 겪는다. 때때로 학교는 주변에 공격성이 감도는 적대적인 환경이다. 우리는 매일같이 우리 학생들에게 일어나는 비극적 삶의 환경에 충격을 받는다. 교육법은 꾸준히 변화하여 과거의 경험을 축적하기 어렵게 만들고 있다. 모두 우리가 테크놀로지와 새로운 교수법의 추세를 따라가기를 기대하고 있다. 심지어 때때로 가장 낙천적인 교사조차 학생들의 시험지를 읽을 때, 그리고 그들이 실제 무엇을 배웠는지 혹은 배우지 않았는지에 대한 진실을 직면할 때 낙심하게 된다. 우리는 직접적인 체험에 기초해서 어떻게 하면 상황이 더 좋아질 수 있는지에 대해 말을 해야만 한다. 그러나 그것에 귀를 기울이는 일에 어느 누구도 관심이 없기 때문에 우리는 매우 자주 좌절감을 느낀다. 그리고 우리의 필요와 요구를 공감적으로 들어주는 사람이 없을 때 우리는 외롭다고 느끼며 실망할 수 있다.

우리가 이러한 모든 것이 우리의 심신의 건강을 악화시키지 못하도록 완벽히 예방할 수 있는 것은 아니지만, 대처 전략을 가지면 커다란 차이를 만들어 낼 수 있다. 의식적인 자가 치료 계획은 긴장을 완화시켜 주고, 에너지를 회복시키며, 우리를 우리가 배려하는 사람들과 연결시켜 주고, 또한 우리가 여가 시간을 즐기며, 평정심을 유지하고, 휴식을 취하며, 양육하고, 창조적일 수 있는 믿을 만한 방법을 알려 준다. 우리의 가르침의 질은 우리가 건강한 습관과 관례와 반복되는 일상 속에서 우리 자신을 적극적으로 돌볼 때에만 향상될 수 있다.

– 마리제

관례와 반복되는 일상을 위한 글쓰기 웜업

교사로서 최고의 일은 …….

교사로서 최악의 일은 …….

✎ 교사저널에서

교사로서 최고의 일은 위험한 환경에 있는 학생들에게 안전한 공간을 제공하여 그들이 길거리에 있을 때는 할 수 없는 그들 자신에 대한 탐색을 하도록 하는 것이다. 나의 학생들은 학교 밖에서 어려운 삶을 살고 있다. 그들은 모두 아프리카계 미국인 십 대로 슬프게도 가난과 갱과 총격이 흔한 위험한 소외지역에 살고 있다. 그들은 배우기 위해서이기도 하지만 안전을 위해서 우리의 대안교육 고등학교에 하루에 3시간씩 다닌다. 내 교실에서는 한 과목 수업 시간인 45분 동안 그들이 길거리에서 살아남기 위해 필요한 과도한 경계를 놓아 버리는 것을 배운다. 내 직업에 있어 가장 소중한 순간은 내가 미술 수업을 듣는 10명이나 12명의 학생과 함께할 때다. 학생들 대부분이 내면의 창조력을 가지고 있으며, 그들은 자신들도 알지 못했던 그 내면의 힘으로 아름다운 것을 창조해 내는 과정에서 자기 자신을 완전히 잃은 채 몰두하곤 한다.

– 캐슬린, 고등학교 미술교사

교사로서 최악의 일은 종종 당신은 동의하지 않는 바보 같은 규칙을 따르는 것이다. '살아가기' 위해 당신이 믿지 않는 것을 말하는 것. 어떤 불합리한 규준에 따라 학생의 수행을 평가하는 것. 마치 당신이 결코 볼 수 없고

오직 상상만 가능한 귀신이라도 되는 듯한 정의를 추구하는 것

– 나나, AP 철학교사

교사로서 최고의 경험은 매일이 새로운 모험—매일 150명의 아이를 다루는—과 같다는 것이다. 아이들이 교실에서 하는 일에는 언제나 어떤 드라마나 흥분 또는 멋진 일이 벌어진다. 그래, 아마 최고의 것은 정말 대단하고, 독창적이며, 총명하거나 재미있는 어떤 글을 쓰는 학생을 만나는 일일 것이다. 최악의 일? 영어교사로서 한마디로 말하면 점수 매기기!

– 팀, 고등학교 영어/문학, 역사교사

#06. 반복되는 일상의 삶에서 순간 포착하기

당신의 교사 생활에서 반복되는 일이 무엇인지 목록을 만들어 보라. 교사로서의 정체성을 말해 주는 일이 있다면 그건 무엇인가 (예를 들어, 쌓인 학생의 숙제에 점수 매기는 일, 시험 문제를 내는 일, 시험지를 채점하는 일, 일지 쓰기, 상담하기 등)? 그 목록 중에서 하나를 선택하라. 눈을 감고 특별히 잊히지 않는 사건을 기억해 보라. 아니면 아주 평범한 여러 경험을 콜라주처럼 엮어서 기억해도 좋다. 당신이 선택한 그 일상의 삶이 연상시켜 주는 광경, 소리, 냄새, 맛, 촉감, 그리고 신체적 · 정서적 느낌에 집중하여 그것을 느껴 보라. 그것을 마치 카메라에 스냅사진을 찍어 담아 두듯이 간결하게, 감각적으로 묘사하는 순간을 포착하여 글쓰기를 해 보라.

✎ 교사저널에서

내가 6학년을 맡고 있을 때 우리는 일본에 대한 짧은 단원을 공부했다. 나는 학생들에게 '사다코와 1,000개의 종이학'이라는 논픽션을 읽어 주었다. 그 이야기는 히로시마 원폭으로 방사선의 피해를 입은 한 소녀에 대한 이야기다. 일본 사람들은 학이 건강과 행운을 상징한다고 믿었다. 그래서 1,000개의 종이학을 접으면 병이 낫는다고 믿었다. 사다코는 열심히 종이학을 접었지만 1,000개를 채우기 전에 죽고 말았다. 그녀가 죽은 뒤에 학우들이 그녀를 기리면서 나머지 학을 접어 1,000개를 채웠다.

우리 수학 선생님이 종이접기를 가르쳐 주셔서 6학년 학생들이 종이학 만드는 법을 배웠다.

그 단원을 공부하고 난 후 얼마 되지 않아서 나는 암 진단을 받았다. 나는 여러 차례 수술과 방사선 치료를 받았으며, 그해 나머지 수업을 하지 못했다. 방사선 치료가 끝나고 건강이 조금 나아지자 나는 학교를 방문했다. 중학생들이 내게 1,000개의 종이학이 담긴 항아리를 건네주었다! 6학년 아이들이 7학년, 8학년 학생들에게 종이학 접는 법을 가르쳐 준 것이었다. 나는 그때 내가 느꼈던 감정을 지금 어떻게 묘사해야 할지 모르겠다. 학생들은 너무나 정성껏 나의 마음을 살펴 주었고, 내가 가르쳐 준 교훈을 잘 기억하고 있었다. 정말 믿을 수 없는 경험이었다. 나에게는 물론, 내 생각에는 그들에게도 그럴 것이다.

– 코니, K–12 읽기교육전문가

내가 만들어 낸 일상적인 관례가 있다면, 그건 내가 매주 단어 시험을 보기 전에 일련의 질문을 하는 것이었다. 그렇게 함으로써 우수한 나의 학생들이 받는 예비 시험 스트레스가 줄어들기를 바랐기 때문이다. "연필은 깎았나요? 책상은 깨끗이 치웠어요? 공책은 다 집어넣었죠? 정신을 집중하고 있나요? 시험에만 집중하세요! 휴대전화와 아이팟은 꺼서 가방에 넣었나요?" 그다음에 나는 "마지막 질문이 하나 더 있어요."라고 말하면서 소리를 지르곤 했다. 텔레비전 프로그램 〈월요일 밤 미식축구〉의 행크 윌리암스를 최대한 흉내 내면서 그가 늘 하는 말인 "자, 축구 준비되었습니까?"를 따라서 "단어 준비되었습니까?"라고.

처음에는 학생들이 마치 '선생님이 미쳤나?' 라는 표정으로 반응을 했다. 그러나 그게 아주 재미있다고 생각하는 학생들이 있었고, 마침내 대부분의 학생이 내 '미친 예비 시험' 을 기대하게 되었다. 내가 어떻게 매주 조금씩 다르게 질문을 하는지, 간단한 보조 소품을 사용하면서 설명하는지, 마지막 질문을 녹음해서 갑자기 스테레오로 틀어 주는지, 내 신발 바닥에 단어를 써 넣는지 등등. 이제 예전의 내 학생들이 나에게 묻는다. 내가 단어 준비가 되었는지. 나의 이 예비 시험은 그들이 기억하는 가장 엉뚱한 짓이었다. 그들은 자신이 공부한 단어를 거의 기억하지 못한다. 한번은 누군가 내게 이런 말을 했다. "선생님의 학생들은 선생님이 가르친 것을 기억하지 못할 거예요. 하지만 선생님이 그들에게 느끼게 해 준 것이 무엇인지는 기억할 겁니다."

– 팀

#07. 나는 무엇으로 유명한가

당신은 무엇으로 교실에서 또는 학교에서 유명합니까?

✎ 교사저널에서

나는 높은 기대감과 이성적인 학습법으로 유명하다. 학생들이 학교 밖에서는 어떤 관계에 있든 내 교실에서는 서로를 존중해 주기를 강조한다. 나는 그들이 자신을 믿을 수 있을 때까지 학생들을 믿어 주는 교사로 알려져 있다.

– 캐슬린

매주 나는 30분을 할애하여 나의 학생들과 그리움, 어려움, 두려움, 그 주의 감정, 시험 불안, 비판에 대한 느낌에 관하여 글을 쓰고 있다. 우리에게 닥친 문제에 어떻게 직면할 것인가? 주어진 상황에서 우리의 책임은 무엇인가?

– 애나, 고등학교 상업교사

예전에 나는 말솜씨로 유명했다. 그다음엔 비틀어진 나의 유머 감각과 내가 입고 있는 셔츠와 어울리는 색의 양말로, 그 후엔 '사이비 예술가' 영어 선생으로, 그 후엔 창조적인 글쟁이 남자로 알려졌다. 그리고 이제는 추측컨대 단지 우리 과의 늙은이로 알려져 있다! 교실에서 아이들은 아직도 내게 단어 퀴즈 예비 시험 때마다 아이들을 북돋우기 위해 내가 만들어 사용하던 말을 해 주기를 바란다. 하지만 그 말은 이제 '늙은이'가 준비하기에는 점점 너무 벅찬 일이 되고 있다.

– 팀

나는 랩으로 유명하다. 나는 독서와 좋은 교육의 중요성을 랩으로 설명한다.

나는 책을 읽어.
내 방식으로 할머니에게 편지를 써.
할 말이 무척 많아.
학교에 붙어 있어. 학교는 멋진 곳
바보가 되지 마, 바보가
좋은 교육을 받아야 자유를 얻어…….

– 코니

#08. 스트레스 날리기

당신의 가장 주된 직업적 스트레스는 무엇입니까? 그 스트레스를 어떻게 관리합니까? 어떤 스트레스를 집으로 가져갑니까? 어떤 것을 뒤에 남겨 둡니까? 스트레스 관리에 대해 경험으로 배운 것은 무엇이 있습니까?

✎ 교사저널에서

나의 가장 큰 스트레스 요인은 삶이 너무도 어려운 학생들을 안전하게 받아 줄 그릇이 되는 것이다. 그들은 학업의 문제만 위기에 부딪힌 것이 아니라 자신의 가정과 이웃의 환경에서 살아남기 위해 가지게 된 '강한' 외모 뒤에 숨겨진 정서적 · 신체적 · 심리적 결핍의 문제를 가지고 있는 십 대다. 나는 종종 한 종교지도자가 한 말을 기억한다. "가끔 우리는 건강하지 못한 곳에서 하나의 건강한 목소리가 되라고 부름을 받습니다." 나는 내 학생들을 사랑한다. 나는 그들을 걱정한다. 나는 그들을 위해 굳게 서 있다. 나는 그들이 자신 속에 발견되지 않은 가능성을 찾도록 창을 열어 준다. 나는 그들이 거리에서 하는 행동과 거친 언어를 문밖에 버려야 한다고, 남자아이는 바지를 추켜 제대로 입고 여자아이는 가슴을 드러내는 옷을 여미라고 역설한다. 나는 그들과 함께 웃고, 나무라며, 나의 인간애로 그들을 받쳐 줌으로써 그들이 그들 자신의 인간애를 발견하도록 하고 있다. 이 모든 것을 수업을 하면서 동시에 가르쳐 주고 있다. 그렇게 하고 나면 하루 일과가 끝날 때 나는 완전히 지치고 만다!

나는 훌륭한 교사 친구와 이야기를 하거나 교장 선생님에게 가서 스트레스를 푼다. 교장 선생님은 놀라운 어머니 대지와 같은 분으로 우리를 말 그대로 그리고 비유적으로 먹여 주고, 칭찬해 주며, 필요할 때는 우리에게 새로운 길을 제시해 주고, 모든 교사를 진실로 좋아해 주신다. 나는 솔직히 교장 선생님의 정서적 · 심리적 지지와 유머 감각이 없었다면 이 직업을 계속할 수 없었을 것이다. 나는 채점을 하거나 학습계획을 세우는 일은 늦은 시간까지 하더라도 모두 학교에서 끝낸다. 그래야 집으로 돌아갈 때는 학교 일에서 온전히 벗어날 수 있다. 나는 교회 성가대에서 노래하고, 시를 쓰며, 저널을 쓰고, 책을 읽으며, 산책하고, 필요할 때는 아주 일찍 잠자리에 들기도 하면서 나 자신을 회복시킨다.

– 캐슬린

#09. 고함치기

당신이 원하는 교육 당국자에게 보내지 않는 편지를 쓰라. 우선 불평으로부터 시작하라. 이야기를 바꿀 준비가 되면 대안이나 해결책을 제시하라.

✎ 교사저널에서

오, 감독님, 나의 감독님[1)]

당신이 가 버려서 정말 좋습니다. 내가 당신보다 오래 남아 있다는 게 놀랍지 않네요. 당신이 내 등 뒤에 숨을 뿜으며 서서 끊임없이 내가 교실에서 하는 일에 대해 이론적 설명을 요구하지 않으니 얼마나 스트레스를 덜 받는지 모릅니다. 더 이상 나는 내 행동 하나하나, 내가 하는 말 하나하나를 다 설명하지 않아도 되네요. 당신이 끊임없이 반복하는 '엄격함, 타당성, 관계'를 듣지 않아도 되니 분위기가 얼마나 가벼워졌는지요. 그런데 말입니다. '관계'란 그 세 마디 훈계 중 가장 중요한 것인데 당신 자신은 그게 뭔지 모르는 것 같았습니다. 당신은 교사를 마치 어린애처럼 취급했죠. 당신은 그들의 자율성을 박탈했고, 그들의 존엄과 자신감을 빼앗았습니다.

1) 역주: 이 말은 영화 〈죽은 시인의 사회(Dead Poets Society)〉에 나온 대사를 패러디한 것으로 보인다. 엄격한 교칙에 얽매인 학생들에게 자율성을 가르치던 키팅 선생님이 학교에서 사직을 권고받았을 때 그를 보내면서 존경하는 마음으로 학생들이 불러 주는 "오, 캡틴, 나의 캡틴(Oh, captain, my captain.)"이라는 말을 패러디함으로써 교장에 대한 불만을 표시하고 있다. "오, 캡틴, 나의 캡틴"은 미국 시인 월트 휘트먼(Walt Whitman)의 시 구절이다.

행복한 교사가 행복한 학교 공동체를 만들며 공동체에 속한 사람들을 성장시킵니다. 그런데 당신은 교사를 불편하고 불행하게 만들었습니다. 당신은 당신의 감독 아래 있는 선생님들을 지지하고 도와주어야 했습니다. 당신은 교사를 당신과 동등하게 대접했어야 했습니다. 당신은 교사가 당신에게 해 주고 싶어 한 충고를 들어야 했습니다.

지금은 훨씬 행복한

팀 드림

#10. 자기 돌보기 행동 계획

당신은 어떻게 자신을 더 잘 보살필 수 있는가? 당신에게는 현재 자신을 보살피는 어떤 의식이 있는가? 현실적으로 어떤 것을 추가할 수 있는가? 당신이 너무나 스트레스를 받아서 알고 있는 것조차 기억이 안 날 때 당신이 할 수 있는 자기 관리 행동을 고안해 보라.

✎ 교사저널에서

상황을 읽기 위해서 이성을 사용하기. 누가 요청하기 전에는 내 일에만 신경 쓰기. 가끔은 '아니요.' 라고 말하기. 내 개인적인 삶을 위해, 그리고 나를 충족시킬 수 있는 일을 위해 시간을 투자하기. 나에게는 문학과 음악이 필요하다. 그것을 위한 여유를 만들어야 한다. 내 건강도 보살펴야 한다. 산책하기. 결론적으로 운동할 것!

– 나나

나의 긍정적 자기 관리 중에는 저널 쓰기, 시 쓰기, 편지 쓰기, 즐기기 위한 독서, 좋은 친구들과 밖에서 만나 식사하기, 영화, 연극, 뮤지컬 혹은 오페라 관람하기 등 '놀기 위한' 시간 만들기, 성가대에서 노래하기, 날씨가 좋은 날 산책하기가 있다. 별로 긍정적이지 못한 나의 스트레스 관리법은 저녁에 무엇을 먹기, 아이스크림을 너무 많이 먹기다. 아이스크림은 나를 위로해 주는 음식 1호다. 내가 현실적으로 추가할 수 있는 관리법은 운동을 위해 체육관에 가는 것이다. 또 나는 나 자신을 돌보기 위해 영성 공부, 특히 내 시적 영혼에 말을 건네는 존 오도나휴[2]의 캘틱 종교 서적을 공부할 수 있다.

– 캐슬린

나를 건강하게 유지시켜 주는 것은 산에 가는 것이다. 겨울이면 가끔 스키를 타러 가고, 여름이면 시골 호숫가 오두막에서 오래 머무르곤 한다. 산에 가는 것은 나를 고통스럽게 하는 일로부터 치유받게 한다. 금요일 저녁 동료 교사들과 함께 모이는 시간도 나를 재충전시킨다. 다른 교사도 같은 어려움을 겪고 있다는 걸 알게 되고, 또 그들이 어떻게 해결하고 있는지를 배우는 것은 확실히 도움이 된다. 그리고 내 강아지가 있다. 그는 정말 내 이야기를 잘 들어 준다!

– 팀

---

2) 역주: 존 오도나휴(John O'Donohue, 1956~2008)는 아일랜드의 철학자, 성직자, 작가, 시인이다.

쓴 글을 되돌아보며

당신이 당신에게 도움이 되거나 상처가 되는 의식에 대해 쓴 글을 다시 읽어 보라. 깨달은 점은 무엇인가? 새로 발견하게 된 것은 무엇인가? 당신에게 도움이 되는 의식은 강화하고 반면에 당신에게 도움이 되지 않는 의식은 바꾸기 위한 어떤 변화나 대안적 방법이 있는가?

✎ 교사저널에서

교사로서 자기 관리는 정말로 중요하다. 하지만 지적인 측면에서의 요구는 말할 것도 없고 감정적 · 심리적 요구가 교사를 고갈시킬 때 자기를 돌보기란 힘이 든다. 가끔 내가 할 수 있는 일이라고는 힘을 회복하기 위해서 저녁 7시 반에 일찍 잠자리에 들어서 새벽 5시 15분 알람이 울릴 때까지 자는 것밖에 없다. 내가 학생들을 돌보는 일에 헌신하는 것만큼이나 나의 핵심 자아와 창조적인 자아를 양육할 수 있도록 나 자신에게도 의식적으로 헌신해야 할 필요가 있다.

– 캐슬린

다시 읽고 생각해 본다. 나는 나 자신에게 너무 친절한 것 아닌가? 내가 겪은 어려운 시간은 다 어디로 갔지? 나는 그 일을 너무 쉽게 망각한다. 왜 나의 기억은 이렇게 선별적일까? 내가 완벽주의자라는 것을 깨닫는다. 내가 좀 더 현실적이어야 할까? 내가 '해야 함.' 이라는 말을 더 이상 따르지 말아야 할까? 나는 반복되는 관례와 일상이 내게 편안함과 안전함을 준다는 것을 발견했다.

– 나나

내가 발견한 하나의 의식은 일요일이면 그냥저냥 시간을 보낸다는 것이다. 채점을 하지도 않고, 잔디를 깎지도 않으며, 여행을 가지도 않는다. 빨래를 하고, 저녁이면 다음 주 계획을 세우지만 그게 다다. 나는 약간의 죄책감을 느낀다. 나는 내가 점수를 매기거나 뭔가를 해야 할 것만 같다. 하지만 어찌 보면 나에게는 그저 아무것도 하지 않는 그런 하루가 필요한 것인지도 모르겠다. 아마 그것이 나를 재충전하는 과정의 하나일 것이다.

– 팀

05

이야기 들어 주기

경 청

교사가 되는 가장 큰 도전 중 하나는 분명 학생들과의 관계, 특히 십 대나 그보다 어린 학생들과의 관계일 것이다. 모든 것이 다 순조롭게 진행되고, 소통이 쉽게 이루어지며, 우리가 세상의 최고봉에 있는 듯이 느껴지는 멋진 때가 있다. 하지만 아주 종종 우리는 우리와 우리가 대표하고 있는 권위를 향한 적대감이나 분노를 해결해야 할 때가 있다. 또는 교실 내의 위협적인 갈등과 학교폭력 같은 두려운 문제를 해결해야 할 때가 있다.

가끔 특정한 학생이나 집단과의 관계가 부정적인 패턴 속에 갇힐 때 우리는 비참함, 소외감, 패배감을 느끼기도 한다. 교사 생활을 하다 보면 언제라도 우리에게 대항하고, 우리가 우리의 이해력과 인내심의 한계를 느끼도록 괴롭히는 학생들을 만날 수 있다. 그들은 우리의 자존감과 권위를 무너뜨리는 능숙한 방법을 찾아낼 것이고, 어쩌면 우리가 가장 싫어하는 우리 자신의 모습을 드러내도록 할 수 있다.

우리의 감성지능(emotional intelligence)과 인지력이 교사직에서 가장 중요한 이유가 바로 그 때문이다. 외양 너머를 보고, 정확한 상황을 읽으며, 문제 있는 학생이나 상황이 표현하고자 하는 것이 무엇인지를 인식하는 우리의 능력은 상황에 적응하고 변화해야 하는 우리의 융통성과 함께 끊임없이 시험을 당하고 있다.

우리가 우리 학생들의 말을 경청할 때, 그들은 우리의 스승이 될 수 있다. 그래야만 우리는 그들의 진정한 느낌과 요구의 경이로운 심연에 다다를 수 있다. 또한 우리는 날마다 학생들이 목격하는 우리의 부족함과 맹점을 발견할 수 있고, 그것을 성장의 기회로 삼을 수 있다.

우리가 우리 학생들과 우리 자신을 감성적인 인간으로 대접하는 그러한 마술 같은 순간은 어려운 상황 속에서조차 사랑과 연민을 가능케 하는 우리의 가장 큰 잠재력을 표현하도록 해 준다.

– 마리제

경청을 위한 글쓰기 웜업

나의 학생들은 내가 ……한 감정을 느끼게 한다.

나는 ……을 느끼던 십 대(또는 사춘기 직전)의 학생이었다.

내가 내면으로 들어가서 ________(들어 보면, 말하면, 속삭이면, 가르치면 등)…….

✎ 교사저널에서

나의 학생들은 나를 좌절감에 들게 한다. 그들이 내 도움을 거절할 때, 그들이 나를 적으로 생각할 때, 나는 이해할 수가 없다. 그래서 불안하다.

– 사벨라(Sabela), 고등학교 화학교사

나는 내가 중 · 고등학생일 때 학교에서 성공적으로 생활하고 있다고 느꼈다. 나는 교사가 되는 대부분의 사람은 학생 때 어떤 점에서 성공한 학생이었다고 생각한다. 나는 모든 중고생과 똑같은 내적 · 외적 갈등과 죽고 사는 위기를 느끼던 학생이었다.

– 코니, K–12 읽기교육전문가

내가 나의 내면으로 들어가 마음속의 대화를 들어 보면, 나는 매일 아침 눈뜨는 순간부터 하루의 할 일을 계획하고 있는 나를 발견한다. 나의 학습 계획서에는 끊임없는 수정이 잘 드러나 있다. 그것은 어떤 것이 효과적이었고 어떤 것이 그렇지 못했는지 이곳저곳에 적어 놓은 메모, 수업과 반응에 대한 강조 표시와 같은 것이었다. 나는 시간을 가장 효율적으로 사용할 수 있도록 그 모든 것을 기록해 놓았다.

– 셰이, K-3 초등학교 교사

#11. 학생에 대한 [인물 묘사]

[인물 묘사]는 다른 사람에 대해 글로 쓰는 초상화다. 외모(나이, 성별, 차림새, 의상, 태도, 처신)뿐 아니라 내적인 특성(일에 대한 욕구, 두려움, 충동, 재능, 창의력, 특징, 정서)을 묘사하는 것이다. 한 특정한 학생에 대해 인물 스케치를 하거나 합성된 학생의 모습을 묘사하는 글을 써 보라. 특정 학생에 대해서 쓸 경우 당신이 어려움을 겪고 있는 학생을 선택해도 좋다. 당신 속에서 무엇이 이끌어져 나오는지 통찰해 보라.

✎ 교사저널에서

그는 검은 얼굴에 말랐고 볼품이 없다. 그의 눈은 검은색이고, 영리하며, 두려움 없이 미래를 응시하고 있다. 그는 그룹에서 뛰어난 학생은 아니다. 하지만 그가 말을 하면 모두가 집중해서 듣는다.

그는 전형적인 열다섯 살 아이가 아니다. 그는 외롭고 방황하고 있다. 가정도 불행하다. 부모님이 이혼하셔서 그는 외가가 있는 곳으로 이사를 해야 했고, 이사한 동네는 지루하기 짝이 없다. 이 모든 것이 그의 낮은 성적에 반영되고 있다.

수업 시간이다. 나는 우리가 공부하는 책에 대해서 질문을 던진다. 그 아이의 눈과 나의 눈이 마주친다. 그가 웃음을 짓는다. 나도 웃어 준다. 그는 질문에 대한 답을 알고 있지만 이번에도 아무 말을 하지 않는다. 여느 때처럼.

– 마리아 호세(María José), 고등학교 스페인어/문학교사

매트는 잊지 못할 학생이었다. 그는 나의 특수교육 학급에 처음 왔을 때 일곱 살이었다. 곱슬머리 금발에 파란 눈, 왼손잡이인 그 아이는 사방을 두리번거리는 큰 눈을 가진 천사와 같았다. 매트는 방화를 했고, 그 때문에 친척이 죽었다. 그 일 이후로 가족은 혼란에 빠졌다. 그는 방 한가운데에 서서 지시를 기다리곤 했다. 지시를 받으면 가만히 앉아서 그 일을 수행하지 못했다. 나에겐 흔들의자가 있었는데, 매트를 꼭 붙잡고 그 아이가 거기서 가만히 있을 때까지 기다려야 했다. 그러면 그는 나에게 완전히 의지하곤 했고, 그제야 우리는 대화를 할 수 있었다. 그 아이는 똑똑했다. 그리고 우리가 일단 정신적으로 연결되면 그는 놀랄 만한 속도로 배웠다. 그의 어머니는 회의 시간에 술에 취한 채 참석했다. 그녀는 아이의 아버지와 서로 협력하는 법을 알지 못했고, 부모 역할에 관해서는 손을 놓아 버린 상태였다. 나는 그 아이를 사랑했다.

– 셰이

#12. 인물 스케치: 나, 그때

당신이 지금 가르치는(또는 마지막으로 가르쳤던) 학년과 같았던 당신의 학생 시절을 생각해 보고 그때의 당신 자신의 모습을 묘사해 보라. 당신은 이 글을 회상 형식으로 써도 좋다. 아니면 마치 당신이 이해심 많은 화자가 된 듯이 3인칭으로 써 보라.

✎ 교사저널에서

나는 갈등이 무척 많았다. 나는 여자가 되고 싶지 않았다. 나는 집에서 사랑받는다는 느낌을 받지 못하였다. 부모님은 시도 때도 없이 싸움을 하셨고, 나는 벌벌 떨어야 했다. 나는 똑똑한 학생이라는 꼬리표가 붙어 있었고, 그래서 이 모든 고통을 잊기 위해 책 뒤에 숨었다. 내가 공부를 내 방문을 잠그고 세상으로부터 격리되기 위한 기회로 삼았으니 다행이었다. 공부를 할 때는 아버지와 어머니, 누이에 대한 두려움과 미움을 느끼지 않아도 되었다. 공부는 나 자신의 욕구나 감정을 느낄 틈을 주지 않았고, 나는 성적이 아주 뛰어났다. 공부는 내 내면의 갈등을 조용히 잠재웠다.

만일 내가 지금 이런 학생을 만난다면 나는 그에 대해 연민을 느낄 것이다. 나는 그에게 최고가 되려는 쓰레기 같은 생각과 아버지가 그렇게 가치 있게 여기던 그 모든 것을 다 잊도록 해 주기 위해 노력할 것이다. 나는 그 학생이 자신의 진정한 욕구가 무엇인지 만날 수 있게 도와줄 것이다. 나는 그가 자신에게, 그리고 시와 문학을 좋아하는 자신의 본성에 진실하라고 격려해 줄 것이다. 나는 그의 숨은 욕구를 발견하려고 노력할 것이며, 그가 괜찮다고 가정하는 일은 없을 것이다. 내가 그 학생에 대해 걱정할 필요가 없으며, 그가 성적이 그렇게 좋으니 그의 삶에는 아무 문제가 없을 것이라는 가정을 하는 일은 없을 것이다.

– 앨리샤(Alicia), 고등학교 스페인어/문학교사

내가 유치원 아이였을 때를 기억한다. 나는 리듬 밴드를 정말 좋아했고 트라이앵글을 두드리며 다녔다. 나는 내 담요와 종이를 놓는 아늑한 장소가 좋았다. 그리고 나는 우리가 동그랗게 둘러앉았던 나무로 된 의자도 좋아했다. 이것이 내가 학교에 대해서 가진 단 하나의 따뜻한 기억이다. 하지만 그것은 오래가지 못했다. 우리가 곧 이사를 갔기 때문이다.

– 셰이

#13. 나는 얼마나 질 높은 경청을 하는가

당신은 얼마나 잘 경청하고 있는가? 가족은 당신이 어떻게 그들의 말을 들어 준다고 생각할까? 친구나 동료들은 어떻게 생각할까? 당신의 학생들은 당신이 그들의 말을 얼마나 경청한다고 생각할까?

✎ 교사저널에서

나는 이야기를 잘 들어 주는 경청자다. 학생들은 내게 비밀과 걱정거리를 털어놓는다. 내가 언제나 그들에게 들려줄 답을 가지고 있는 것은 아니지만 나는 듣는 귀를 가지고 있다.

– 셰이

내가 잘 들어 주지 못하는 이유는 모든 사람을 다 만족시키고 싶어 하기 때문이다. 나는 모든 사람의 기대를 충족해 주고 싶어 한다. 나는 그들이 내게 화가 나거나 서로에게 분노하는 것을 원치 않는다. 나는 모든 사람이 행복하고 잘 지내기를 바란다. 하지만 그건 불가능한 일이라는 것을 안다. 나는 다른 사람들의 말을 너무나 많이 들어 주다 보니 나 자신의 이야기, 내 남편의 이야기, 그리고 내 아이들의 이야기를 듣는 것을 잊어버린다.

– 사벨라

내 경청의 수준을 평가하자면 늘 열려 있다고 생각한다. 나는 다른 사람들이 하는 이야기를 들어 주는 것을 좋아한다. 이야기를 듣는 것은 내가 살아 있다는 느낌이 들게 하며, 내가 필요한 사람이라는 느낌을 준다. 나는 다른 사람들의 생각과 감정에 대해 많은 것을 배우며, 그들은 나 자신의 생각과 감정에 도움을 준다. 내 가족과의 관계에서는 서로의 속마음을 열어 보여 주는 것이 불편하다. 소통은 자유로운 흐름이 되지 못한다. 우리는 감정을 나누는 가르침을 받은 적이 없다. 우리 손자와 손녀도 그렇고, 우리 부모님도 그러셨기에 우리도 그렇다. 일종의 부끄러움 같은 것이 있다. 이제 나는 내가 나 자신의 이야기를 들을 수 있게 된 것을 발견하였다. 나는 다른 사람의 의견을 묻지 않고도 나 자신에게 무엇을 하라고 말할 수 있다. 여기까지 오는 게 쉬운 길은 아니었지만 멋졌다. 그리고 그것은 지금 나의 경청 능력을 훨씬 강화시켰다.

– 마리아(María), 중학교 스페인어/문학교사

#14. 학생과의 [대화]저널 쓰기

[대화]저널은 프로고프(Ira Progoff) 박사가 1992년에 창안한 저널 기법으로, 당신이 상대방이 되어서 그 사람과의 대화를 글로 쓰는 것이다. 처음에는 무척 어색하고 바보 같다고 느낄 수도 있다. 하지만 계속 쓰다 보면 당신의 대화 상대가 당신에게 정말로 대답하는 것처럼 여겨질 것이다.

당신이 가장 아끼는 학생들과 함께 있는 상상을 해 보라. 그동안 가르쳤던 학생들 중에서 최고의 학생을 대표하는 학생들이면 좋다. 실제 학생이든 아니면 당신이 지어낸 학생이든, 그중 한 학생이 대표로 앞에 나와서 당신에게 질문을 던지게 하라. 그 질문을 주의 깊게 들어 보고 글로 쓰라. 그다음 질문에 대한 답을 주의 깊게 들어 보라. 그리고 그것도 글로 적으라. 이렇게 질문과 답을 계속해서 써 내려가면 된다. 당신도 그 학생에게 질문을 하고 답을 주의 깊게 들어 보라.

또 다른 학생과도 대화를 해 보라. 그 학생이 당신에게 무슨 말을 하고 싶어 하는지 경청하라.

✎ 교사저널에서

학　생: 안녕하세요. 괜찮으세요? 무척 피곤해 보이세요.

마리아: 피곤해. 채점해야 할 것이 쌓여 있거든.

학　생: 우리 다 패스하겠죠?

마리아: 그럼, 언제나 그랬잖아!

학 생: 사실 선생님께 우리 모두 많이 배웠어요. 선생님이 우리를 염려하신다는 거 알아요. 그리고 선생님이 하시는 일을 좋아하신다는 것도요.

마리아: 맞아. 난 가르치는 것을 무척 좋아해.

학 생: 우리가 가장 좋아했던 게 무엇인지 아세요? 우리가 훌륭한 사람이 되도록 선생님이 최선을 다하셨다는 거예요. 그게 선생님의 목표라고 처음부터 말씀하셨죠.

마리아: 그게 내가 가장 중시하는 거지. 너희가 스스로를, 그리고 서로를 존중할 줄 모른다면 가르실라소 드 라 베가(Garcilaso de la Vega)가 누구인지 배운들 무슨 소용이 있겠어.

여학생: 선생님!

사벨라: (나는 혼자 깊은 생각에 잠겨 거리를 걷고 있다.) 어, 안녕! (나는 그녀의 이름은 기억이 나지 않지만 몇 년 전 내 학생이었다는 것은 알고 있다.) 잘 지내고 있어? 지금 무슨 일 하고 있어?

여학생: 저 대학교 다녀요. 화학 전공이에요.

사벨라: 그래? 화학? 어떻게 그 전공을 택했어?

여학생: 네, 화학이요. 전 화학을 정말 좋아해요. 선생님의 수업을 기억해요. 실험실에서 했던 정말 멋진 수업을요. 아직도 그때의 공책을 소중히 간직하고 있어요.

사벨라: 그 말을 들으니 정말 기쁘다. 널 위해서도 그리고 날 위해서도. 그렇게 말해 줘서 고마워. 내가 계속 열심히 가르칠 수 있게 해 줘서.

여학생: 선생님께서 제게 해 주신 말씀을 기억해요. “화학은 어렵단다. 하지만 배울 수 있어. 어렵다고 낙담해선 안 돼. 포기하지 말고 계속 노력해 보렴.” 아직도 그 가르침대로 노력하고 있어요. 저를 믿어 주셔서 고맙습니다.

#15. 나를 위한 선물

간단한 미술 도구나 콜라주 재료를 준비하라. 눈을 감고 몸을 편하게 이완시키라. 당신이 학교에 도착했다고 상상해 보라. 당신이 그동안 가르쳤던 모든 학생이 당신을 위해 하나의 선물을 준비했다고 상상하라. 우선 그 선물을 눈으로 그려 보라. 그리고 이제 당신이 그 선물을 여는 것을 마음속으로 그려 보라. 그 선물은 무엇을 의미하거나 상징하는가? 그 선물에 대한 당신의 기분은 어떤가? 상상으로 바라본 그 상징을 그림으로 그리거나 콜라주로 만들어 보고 이어서 글을 써라. 아니면 단순히 그 선물에 대해서 글을 쓰고 그것이 당신에게 어떤 의미를 갖는지에 대해 써 보라.

✎ 교사저널에서

나는 거의 매일 그랬듯이 학교를 가기 위해서 페리호를 타고 있다. 오늘은 여느 때와 다르다. 오늘은 여름방학 전 마지막으로 학교 가는 날이다. 나는 벌써 성적을 다 게시해 놓았다. 다만 작별인사를 위해서 학교에 가는 것이다.[1) 긴장이 된다. 내 가슴은 뛰고 있다. 나는 내가 긴 말을 하지 않을 것을 알고 있다. 한두 가지 피드백 질문과 학생들이 수업에 대해 어떻게 생각했는지 물어보겠지만 깊이 들어가거나 상세한 질문을 하지는 않을 것이다. 나는 비판을 받고 싶지 않다. 그냥 몇 가지 피상적인 이야기를 하고 싶

1) 역주: 여름방학이면 학년이 끝나고 9월부터 새 학년이 시작되므로 다미앤(Damián)에게는 가르치던 학생들과 마지막으로 만나는 날이다.

을 뿐이다. 그러고는 우리는 각자의 길을 갈 것이다.

나는 학교로 걸어간다. 나의 학생들은 홀에서 큰 소리로 이야기를 나누고 있다. 그들이 나를 보자 환호하면서 열렬한 박수를 보낸다. 나는 놀라서 마치 예술가처럼 한쪽 무릎을 굽혀 인사를 한다. 학생들이 내 주변에 몰려든다. 사울이 말한다. "우리는 선생님이 오늘 안 오시는 줄 알았어요!" 나는 로드리고가 보이지 않는 것을 안다. 아무도 그가 어디 있는지 모른다. 학생들은 내게 더 가까이 다가오고, 사라가 나에게 선물 포장이 된 꾸러미를 준다. 옷인 것 같다. 그들은 내게 열어 보라고 한다. 그것은 헤비메탈 록 가수가 기타를 치고 있는 그림이 있는 티셔츠다. 나는 의아해한다. "입어 보세요!"라고 학생들이 말한다. 그들은 가지고 있던 CD로 롤링 스톤스의 음악을 튼다. "우리는 선생님이 롤링 스톤스를 좋아하는 거 알아요."라고 그들이 말한다. 우리는 모두 춤을 추기 시작하고, 마치 기타를 치는 것처럼 머리를 흔든다.

– 다미앤, 고등학교 컴퓨터교사

나는 언제나 그러듯 학교에 도착한다. 나는 교실 문을 연다. 그러자 지난 수년 동안 내가 가르쳤던 모든 학생이 다 모여서 나에게 미소를 지으며 나를 맞아 준다. 무엇인가가 테이블 위에 놓여 있다. 무엇일까? "선생님 선물이에요!" 나는 도망갈까 생각하지만 사실은 내가 거기 남아서 그 선물을 열어 보고 싶어 한다는 걸 깨닫는다. 교실 안 분위기는 사랑과 친절함이 가득하다. 선물 상자 안은 갖가지 색으로 된 종이로 가득 차 있다. 각각의 종이에는 무엇인가 글이 쓰여 있다. 각 학생이 과거에 어땠다거나, 현재 누구인지, 미래에 무엇이 되고 싶은지, 또한 어떻게 발전했으며, 발전하고 있고, 발전할 것인지에 대한 이야기가 들어 있다. 나는 감동을 받는다. 울어 버린다. 세상과 사회는 우리 모두에게 더 좋고 더 안전한 곳이 될 것이다. 나는 행복하다.

– 사벨라

쓴 글을 되돌아보며

당신 자신과 경청하는 당신의 태도에 대해서 배운 것이 무엇인가? 당신이 쓴 글을 다시 읽어 보고 자신에게 피드백을 주라.

✎ 교사저널에서

나는 다른 사람의 이야기를 듣는 것이 나 자신의 이야기를 듣는 것보다 더 쉽다. 나는 다른 사람을 돕는 것이 나 자신을 돕는 것보다 더 쉽다. 나는 다른 사람에게 고맙다는 말을 하는 것보다 다른 사람으로부터 고맙다는 인사를 듣는 것이 더 쉽다. 사람들은 아마 내가 착하고 친절하다고 말할 것이다. 하지만 진실을 말하면 나는 나 자신의 말을 들어 주는 법도, 그리고 나에게 가장 소중한 사람들의 이야기를 들어 주는 법도 배운 적이 없다.

– 사벨라

나는 이제 내가 누구인지와 오래전에 시작한 내면의 여행에 대해서 훨씬 더 명료하게 볼 수 있다. 그것은 내가 그동안 경청해 왔고, 앞으로 내 일생 동안 경청할 모든 사람에 대해 감사의 마음과 특별한 마음을 가지도록 해 준다.

– 마리아

06

축 복

충고를 축복으로 만들기

교사로서 우리는 지식과 가르침을 나누어 주도록 훈련받았다. 우리는 젊은이들에게 충고를 하고 그들을 인도한다. 우리가 그들에게 전하는 충고는 종종 우리 인생을 통해 나오는 것이다. 우리는 진심에서 우러나오는 충고를 한다. 우리는 오직 선한 의도로 충고를 한다. 그러나 때때로 학생들은 그것을 설교나 혹은 무엇을 해야만 한다는 '명령'으로 받아들인다. 만일 우리가 그들에게 주는 충고를 축복이나 선물로 바꾸어 본다면 어떻게 될까(Willis, 2010)?

우리의 충고를 축복으로 유화시키는 과정에서 우리는 우리 내면의 지혜와 친밀해질 수 있다. 또한 우리 인생의 경험을 통해 얻은 가르침이 우리가 다음 세대에게 선사할 수 있는 최선의 선물이라는 사실을 깨닫게 된다.

그뿐 아니라 지시적이고 명령조의 목소리(충고)를 비지시적인 목소리(축복)로 유화시키는 것은 상대의 인생 여정에 대한 겸손, 애정, 존중을 표하는 내면으로 우리를 안내한다. 축복은 그것을 주는 사람과 받는 사람 모두의 마음을 열어 주는 도구다. 또한 축복은 인생의 무한함을 인정하며 우리 모두의 삶의 미래가 가진 신비함을 인정하기 때문에 상대방이 거부감 없이 받아들일 수 있다. 축복은 '너'에게 무엇이 최선인지를 알고 있는 '나'에 대한 이야기가 아니기 때문이다.

아마도 우리는 교사로서 우리 내면의 축복할 수 있는 능력을 깨우침으로써 큰 유익함을 얻을 수 있을 것이다. 축복하는 능력은 우리 모두가 선천적으로 가지고 태어난 능력이다. 이러한 능력이 아직 개발되지 않았다고 할지라도 언제든 새로 시작할 시간은 있다. 축복을 공공연하게 나눈다는 것은 멋진 일이지만 필수적이진 않다. 축복을 자신의 내면에 간직하고 있거나 또는 우리의 저널에 속삭이는 것만으로도 여전히 우리의 교직에 따뜻함과 깊이를 더할 것이다.

– 마리제

축복에 관한 글쓰기 웜업

내가 받은 여러 축복을 헤아려 볼 때 가장 먼저 떠오르는 것은…….

내 학생들이 내게 하는 축복은 ……이다.

내가 학생들에게 하는 축복은 ……이다.

✎ 교사저널에서

내가 받은 여러 축복을 헤아려 볼 때 가장 먼저 떠오르는 것은 나를 믿어 주고 고용한 학군이다. 나를 믿고 지지해 준 나의 부모님, 나와 함께 가르치고 열심히 일하고 열심히 놀았던 동료들, 나에게 너무나도 많은 것을 가르쳐 준 나의 학생들, 그리고 오랜 세월 동안 참고 견뎌 준 나의 가족이다. 나의 학생들이 나와 함께 있지 않아도 혼자서도 책을 열심히 읽고 싶도록 동기부여가 되었을 때, 그들이 나를 만나기 전까진 독서를 좋아하지 않았다고 말할 때, 그들이 나의 썰렁한 농담과 끔찍한 말장난과 음치에 가까운 노래를 듣고 웃을 때, 그들이 서른 살이 되어서도 저널을 계속 쓰고 있다는 말을 들을 때, 나는 학생들로부터 축복을 받는다! 내가 학생들을 존중하는 모습을 보여 주고, 그들이 책임감 있는 사람이 되도록 가르칠 때, 나는 그들을 축복한다. 있는 그대로의 학생들의 모습을 받아들일 때, 힘들 때조차도 그들을 좋아할 때, 그리고 그들 하나하나를 하나의 인격체로 대할 때, 나는 그들을 축복한다.

– 코니, K–12 읽기교육전문가

내가 받은 여러 축복을 헤아려 볼 때 가장 먼저 떠오르는 것은 내가 가르치는 것을 학생들이 믿고 배울 수 있게 해 주는 고요함, 안전함 그리고 평화다. 또한 학생들의 불안이나 냉담함을 상쇄시키는 나의 에너지다.

– 사벨라, 고등학교 화학교사

#16. 나의 가장 참된 지혜

당신이 당신의 학생들에게 전수하고 싶은 가장 중요한 배움, 가장 참된 지혜, 가장 소중한 지식을 목록으로 만들어 보자.

✎ 교사저널에서

나는 나의 학생들이 이런 점을 알았으면 한다. 오늘의 학교 수업이 끝났다고 해서, 한 학년이 끝났다고 해서, 또는 학교를 졸업했다고 해서 배움이 끝나는 것은 아니라는 점을 알았으면 한다. 배움은 평생에 걸친 탐구이고, 그 누구도 배움을 시작하기에 너무 늦은 나이란 없다는 것을. 독서는 독서 과목뿐만 아니라 모든 과목에서 중요하다는 것을 알았으면 좋겠다. 나는 그들이 평생 책을 읽는 사람이 되기를 바란다. 즐거움을 위해, 지식을 위해, 그리고 여흥을 위해 책을 읽었으면 한다. 또한 나는 그들이 친절하고, 책임감 있으며, 항상 최선을 다하고, 관용을 베풀며, 웃음이 많고, 목표를 세우며, 꿈을 가지고 살아가는 사람이 되었으면 한다.

– 코니

나의 가장 진실된 가르침

- 자신과 타인들, 이 세상에 살아 있는 모든 것, 환경, 그리고 지구를 존중하는 것
- 비평적이고 독립적인 생각을 하는 법
- 우리가 가지고 있는 것으로 살아가고 그것을 소중하게 여기는 것. 또

한 그것을 남들과 공유하는 책임감

–사벨라

#17. 축복 시 쓰기

당신의 언어를 유화시켜 당신의 가장 참된 지혜와 가르침을 축복의 언어로 다시 써 보자. 당신은 축복에 관한 목록 시를 써 볼 수도 있을 것이다(목록 시란 말 그대로 목록으로 쓴 시를 말한다.). 목록 시는 대개 반복이라는 강한 주제를 가진다. 따라서 당신은 모든 행을 '나는 (당신을 위해 ……을/를) 기원합니다.' '나는 (……으로) 당신을 축복합니다.' 혹은 '나는 당신에게 (……을/를) 드립니다.'로 시작하거나 이들을 섞어서 시를 쓸 수 있을 것이다. 그렇지 않으면 산문시를 지을 수도 있다. 이 경우에 당신이 원하는 상징과 은유를 사용하여 보라.

✎ 교사저널에서

나는 당신의 진정 어린 눈빛을 축복합니다. 나는 우리 조상들의 웃음과 눈물로 당신을 축복합니다. 나는 당신 내면의 바다를 유유히 항해하고 있는 모국어의 음악으로 당신을 축복합니다. 나는 당신의 섬, 그리고 역사와 이야기의 하얀 종이 위를 항해하는 당신의 배를 축복합니다. 나는 당신의 할머니가, 그녀의 할머니가, 그녀의 할머니의 할머니가 풍부한 영양분으로 수를 놓아 일구어 놓은 당신의 포도밭을, 당신의 과수원을, 당신의 수수밭을 축복합니다. 나는 자신의 모습 그대로가 당신임을 확인하기 위한 당신의 잠시 동안의 반항을 축복합니다. 당신은 자신의 이야기가 펼쳐질 미완성의 지도인 백지의 바다로 항해를 하겠지요. 그곳엔 둥근 섬과 해변, 황혼의 만, 반짝이는 잔잔한 바다가 있겠지요. 나는 그 지도에 자리 잡은 당신의 가족과 당신의 집을 축복합니다. 나는 당신이 느끼게 될 분노와 충동을 축복합니다. 항해할 수 있는 지혜와 당신이 배운 기술을 축복합니다. 먼 훗날 당신이 되어 있을 아버지와 어머니를 축복합니다. 당신의 자녀들을 더 나은 세상으로 인도할 선장이 될 당신의 미래를 축복합니다. 아이들은 자유를 원하고, 당신은 그들에게 제공할 더 완성된 지평선이 있는 지도를 원하겠지요.

– 쇼안(Xoán), 중학교 갈리시아어/문학교사

나는 당신을 위해 기원합니다
의지와 근면을 통해 꿈을 이루는 인생을.
나는 당신을 위해 기원합니다
관용과 존중을 통한 행복과 평화를.
나는 당신을 위해 기원합니다 도전과 좌절을,
이들 없이는 성공을 알 수 없기에.
나는 당신을 위해 기원합니다 웃음과 기쁨을,
슬픔과 비관을 쫓아낼 수 있도록.
나는 당신을 위해 기원합니다 독서와 배움에 대한 사랑을,
책과 함께라면 당신은 혼자가 아니기에,
배움은 끝없어 하늘만이 그 한계이기에.

– 코니

당신을 향한 나의 소망은 사람들이 당신을 존중하고 당신도 그들을 존중하는 세상입니다. 나는 당신이 자존감을 가지기를 소망합니다.

당신을 향한 나의 소망은 당신이 건강과 평온을 즐길 수 있는 오염되지 않은 세상입니다.

당신을 향한 나의 소망은 당신이 살아 있는 모든 것에 대해 이해하고 그들을 돌보는 법을 배우는 것입니다.

당신을 향한 나의 소망은 당신이 선한 인생을 영위하고 남들을 도울 수 있는 도구가 되어 주는 교육입니다.

당신을 향한 나의 소망은 독립적인 사고, 자유롭게 실천할 기회, 남들도 그럴 수 있도록 당신이 그들을 존중하는 것입니다.

– 사벨라

#18. 축복에 관한 이야기

하나의 축복을 고른 후, 당신이 어떤 경험을 통해 그것을 얻게 되었는지 또는 배우게 되었는지 이야기해 보라. 당신이 살아온 인생 중 어떤 경험이 이러한 지혜를 선사했는가?

✎ 교사저널에서

정상과 나락이 준 축복: 나는 우리 인생에는 정상과 나락, 성쇠가 있다는 것을 배웠다. 내가 최근에 앓았던 암과 그전에 마주쳤던 도전이 지금의 나를 만들었다. 세상에 존재하는 것이 얼마나 빠르게 변하거나 없어지는지 알지 못했다면 나는 나의 축복을 깨닫지 못했을 것이다. 도전과 슬픔은 즐거움과 축복을 위한 공간을 마련해 준다.

– 코니

나는 우리 조상의 웃음과 눈물로 당신을 축복한다. 나는 갈리시아인이지만 우리 가족의 뿌리는 마라가타다. 우리 가족은 갈리시아 북쪽에서 성공적인 교역업을 시작하였다. 그러나 우리는 그곳에 소속되지 못했다. 그곳 주민들과 우리 가족 사이에는 신뢰감이 형성되지 못했다. 나의 정체성에 혼란이 왔다. 결국 나는 나의 뿌리를 뒤로하고 갈리시아어 교사가 되었다. 내가 마흔 살이 되기 직전, 나는 그 둘을 조화시키기 시작하였다. 나는 우리 가족의 이야기를 탐구했고, 책을 읽으며, 나이 든 어른들을 만나 이야기를 나누었다. 나는 또한 마라가타인의 고향으로 여행하여 나의 증조부 집에서 오래된 책과 생활 기구, 그리고 일기를 찾아냈다. 나는 나의 선대와 그들의 웃음과 눈물, 그들의 진실 어린 눈빛, 그리고 스페인어로 된 그들의 모국어를 통해 접촉했다. 나의 학생들 역시 그들의 선대가 남긴 서사시와 모국어라는 음악과 접촉을 해야 할 것이다.

– 쇼안

쓴 글을 되돌아보며

당신이 쓴 축복에 관한 글을 회고하여 보자. 이 장에서 당신이 쓴 글을 읽으며 당신은 무엇을 깨달았는가?

✎ 교사저널에서

나는 내가 배운 것을 가르친다. 나는 내가 알지 못하는 것을 가르칠 수 없다. 어린아이가 그러하듯, 나는 나만의 경험과 감정을 통해 새로운 것을 배운다. 나는 박하를 냄새 맡음으로써 그 향을 알고, 강아지를 쓰다듬으로써 그 부드러움을 알게 된다. 나는 나 자신에게 질문함으로써 존재함을 알게 된다. 축복에 관하여 쓴 나의 시에 나는 이제까지 깨닫게 된 것을 소중한 은유로 창조하였다. 매일의 일상이 신성해진다. 핵심은 바로 나는 내가 배운 것을 가르친다는 것이다.

– 쇼안

나는 내가 진행하는 수업이 나에게 숨 쉴 수 있는 산소를 제공한다는 사실을 깨달았다. 때때로 학생들과 나의 관계는 오래가지 않는다. 때로는 그들이 나를 기억하고, 나도 그들을 기억할 것이다. 가끔씩 학생들과의 관계가 고통스러울 때도 있지만 우리가 함께 노력한다면 그것은 극복할 수 있다. 우리는 존재한다. 우리는 느낀다. 우리는 성장한다.

– 사벨라

07

내면의 비판자 대면하기

내면의 비판자

우리 각자는 여러 자아, 즉 우리 내면에 살고 있는 여러 잠재인격(subpersonalities)을 지니고 있고, 자신만의 일대기와 여러 감정과 의도를 가지고 있다. 더 힘든 자아 중에는 내면의 비판자(비판적이고 판단적인 상위 자아)와 일을 더 많이, 더 빨리, 더 잘하라고 우리를 몰아세우고 재촉하는 자아인 내면의 독촉자(pusher)가 있다. 이러한 사고 패턴은 "개인에게뿐만 아니라 사회적 성격 구조에도 뿌리 깊이 스며 있다. 우리는 이런 목소리가 진실을 말한다고 종종 생각한다. 우리가 이 목소리의 존재를 자각하지 않는 한…… 그들은 우리의 인생을 계속해서 지배하고, 우리로 하여금 그들의 지혜와 자비를 믿게 만든다." (Stone & Stone, 1996, p.113)

내면 자아와의 대화법(voice dialogue)은 사람들이 갈등을 빚는 여러 자아와 타협하도록 돕고, 자유와 선택의 관점에서 이러한 자아를 수용하는 '자각자아(aware ego)'를 개발하도록 하기 위해 홀 스톤(Hall Stone)과 시드라 스톤(Sidra Stone) 박사가 만들어 낸 방법이다.

우리가 이러한 자아를 의식하지 못할 때, 그들은 우리를 무감각하고, 대수롭지 않으며, 불친절한 사람이 되게 할 수 있다. 이와 같은 갈등을 빚는 자아가 우리의 인생에서 어떤 역할을 하는지를 알고 그들을 진정시키는 법을 배우는 것은 틀림없이 우리 자신의 창조성, 관대함, 그리고 존재로 가는 길을 열어 줄 것이다.

내면의 비판자는 가장 중요한 기본적인 자아 중의 하나이며, 많은 신체적 장애와 정서적 장애, 그리고 자기 파괴적 행동을 일으키는 원인이 된다.

내면의 비판자는 우리를 비난하고, 우리가 행동하거나 느끼거나 또는 생각하는 거의 모든 것에 대해 고통스러울 정도로 수치심을 느끼게 만드는 내면의 목소리다. 이 비판자는 우리의 부족함과 실수에 대해 끊임없이 불안해하며, 우리의 부족함과 실수를 죄로 여긴다. 이 비판자는 자주 우리가 벌을 받거나, 경멸을 당하거나, 우리 존재에 대해 거절당할 것이라고 느끼게 만든다. 그 때문에 우리는 자발성, 인간성, 창조성, 그리고 성장하는 능력을 차단당한다.

만족할 줄 모르는 것이 비판자의 본성이다. "만일 우리가 세심한 주의를 기울인다면, 우리는 우리가 어떤 존재이든 혹은 우리가

무엇을 하고 싶어 하든 내면의 비판자는 다 옳지 않게 여긴다는 사실을 곧 깨닫게 될 것이다."(p.117)

그 비판자는 우리가 인간 이상의 존재가 되기를 바란다. 우리는 행복하고, 재미있으며, 카리스마 있고, 매력적이며, 탄탄한 몸매를 지니고, 강인하며, 현명해야 하고, 항상 이 모든 것을 다 갖추어야만 한다. 그는 우리보다 더 나은 다른 사람들을 까다롭게 골라 그들과 우리를 비교함으로써 우리 자신이 "왜소하고, 2등급으로 떨어진" 느낌을 갖게 한다(p.119).

교사로서 우리가 비현실적인 기대에 매달려 균형 잡힌 시각을 갖지 못하고, 그 대신 잘못된 일에 대해 그 모든 책임을 지려고 할 때, 우리는 내면 비판자의 희생자가 된다. 그 비판자의 공격은 학생들 앞에서 우리가 너무 노출된 것처럼 느끼게 해서 우리가 우리의 역할 뒤에 숨는 교묘한 방법을 찾게 한다. 때로는 내면의 비판자가 우리를 너무나 약하게 만들어서 우리는 희생자가 되고 만다. 그래서 우리는 교실에서 흔히 일어날 수 있는 갈등으로부터 우리 자신을 방어할 수 없게 된다. 우리는 또한 실패의 두려움 때문에 되도록 창조적 위험을 감수하지 않으려 하고, 옛날 방식을 고수하며, 우리의 열정과 관심을 발전시켜서 그것을 학생들과 함께 나누는 일을 포기할지도 모른다. 또는 우리는 불가피한 실수로부터 배우거나 전진하는 대신 그 실수로 인해 우리 자신을 용서하지 않을지도 모른다. 우리는 자주 우리의 행동을 객관적으로 평가할 수 없고, 교사로서 우리 자신의 배움의 길에서 자신을 지지할 수 없게 된다. 따라서 우리는 배움의 길에 있는 우리 학생들에게 좋지 않은 모델이 될 수 있다.

내면의 비판자에게 대항하는 것은 평생 동안 해야 할 과제다. 의식의 차원에서 우리는 그 비판자를 달랠 수 있고, 보호받는다고 느끼게 할 수 있으며, 인간으로서 우리가 가진 빛과 어두움을 보도록 가르칠 수 있다. 우리는 우리가 반드시 완벽할 필요가 없음을 확증할 수 있다. 우리는 실수를 하는 것이 끝없는 배움 과정의 자연스러운 한 부분이라는 것을 인정할 수 있다. 스톤과 스톤에 의하면, "(내면의 비판자의) 판단이 더 이상 우리에게 상처가 되지 않을 때, (그 비판자는) 매우 유능하고, 분별력이 있으며, 합리적인 사고를 가진 친구가 될 수 있다."(p.122)

우리가 학생들에게서 그들의 독특한 재능과 내면의 가치를 표현하는 방법을 찾는 것처럼 우리 또한 교사와 인간으로서 우리의 재능, 자존감과 존엄성을 표현할 말을 찾아야만 한다. 그런 다음에야 우리는 학생들의 자존감을 키워 줄 수 있을 것이다.

– 마리제

내면의 비판자를 대면하기 위한 글쓰기 웜업

교사로서 나의 자존감은…….

나는 ……를(을) 더 잘하지 못해서 나에게 화가 난다.

✎ 교사저널에서

교사로서 나의 자존감은 매우 낮다. 나의 학생들이 나를 한 사람으로서 신뢰하는 것을 알지만, 진실은 내가 수업에서 훌륭한 성과를 내지 못한다는 것이다. 많은 학생이 합격하지 못하고, 자신들이 배운 것을 쉽게 잊어버린다. 나는 학생들이 수업에 집중할 수 있게 하는 데 어려움을 겪고 있다. 이것이 나 자신에 대해 의구심을 갖게 한다. 나는 이 일을 제대로 하고 있는 것일까? 어떻게 하면 학생들과 친해질 수 있을까? 어떻게 하면 학생들에게 배울 수 있도록 동기부여를 할 수 있을까?

– 애나, 고등학교 상업교사

그렇다고 나 자신에게 분노하고 있지는 않지만 암 진단을 받고 모든 수술과 방사선 치료를 받고 난 이후로 예전에 가졌던 활력이 없다는 것이 나를 좌절시킨다. 나는 그 이유가 나이가 들어 가기 때문이라는 것도 알고 있다. 하지만 암에 걸린 이후로 전과 같지 않다는 것을 느낀다. 나는 학교에서 돌아와서는 곧바로 잠자리에 들 때가 많다. 계속 진행 중인 치료의 부작용은 커다란 에너지 손실을 가져다준다.

– 코니, K-12 읽기교육전문가

#19. 나의 내면 비판자에 대한 [인물 묘사]

눈을 감고 당신 내면의 비판자가 형태와 모습을 가지고 당신의 눈앞에 선 것을 상상해 보라. 당신의 내면 비판자는 어떻게 생겼는가? 성별은? 나이는? 신체 치수는? 체형은? 외모는? 입고 있는 옷은? 기분은? 표정은? 목소리는 어떤가? 당신 내면의 비판자에 대한 인물 묘사를 해 보라. 할 수 있는 한 창조적으로 자세히 묘사하라. 내면의 비판자에 이름을 붙여 보라. 내면의 비판자가 실제 당신의 삶에서의 누군가의 모습/목소리와 닮았는가?

✎ 교사저널에서

그는 빗자루처럼 긴장하고 있고, 예순 살 정도 되어 보이며, 사각형의 금속 안경을 쓰고 있는데 그 때문에 눈이 작아 보인다. 그는 깔끔히 면도를 하였고, 의치를 하고 있다. 피부는 창백한 회색이다. 건강해 보이지 않는다. 그는 계속해서 나를 쳐다보고 있다, 계속해서. 그의 말은 "바보 같긴, 어떻게 그걸 믿을 수가 있어? 그들은 모두 너를 비웃고 있는 거야!"와 같이 내가 부적격자라고 대놓고 하는 말부터, "정말 굉장한, 동정심이 많으신 교사로군! 모든 학생이 합격점을 받으니 정말 멋져."와 같이 모든 표현이 단어가 전달하는 것과는 상반된 것을 의미하는, 즉 고통스럽게 비꼬는 말까지 다양하다. 이런 이중 공격은 내가 처리하기에는 버겁다. 그는 심각하다, 아주 심각하다. 그는 결코 웃지 않는다. 그는 항상 기분이 좋지 않다. 언제나 내 곁에서 맴돌며, 지치지도 않고 항상 되돌아온다. 우리는 언쟁하지 않을 것이다. 그는 질문이나 의견을 받아들이지 않을 것이고, 대화를 하지 않을 것이다. 그는 확신하지만, 나는 아니다. 그는 알지만, 나는 아니다. 그렇기는 해도, 나는 가끔 그저 재미 삼아 작은 유리 상자에 그를 집어넣어 치워 버리고 잠시 동안 그가 그 안에서 발을 구르게 내버려 둔다. 그런 후 그를 풀어 주면 그는 약간 친절해지고 더 이해심이 있게 된다.

– 쇼안, 중학교 갈라시아어/문학교사

나의 내면 비판자는 내가 자주 짓는 화난 표정과 똑같은 표정을 하고 있다. 나는 내면의 비판자의 모습을 본다. 그는 극도로 긴장된 얼굴로 이런저런 지시를 하고, 내 얼굴에 손가락질을 하면서 내가 지시받은 대로 행동해야 한다고 주장하고 있다. 나의 내면 비판자는 머리를 깔끔히 묶고 이마를 잔뜩 찌푸리고 있다. 그녀는 앞으로도 10년 동안 변하지 않을 나와 똑같은 모습을 하고 있다. 그녀는 모든 사람과 모든 일에 대해 분노가 가득하다.

– 애나

____

____

____

____

____

____

____

____

____

#20. 비판자에게 반박하기

당신의 저널 페이지를 세로로 두 칸으로 나누라. 왼쪽 칸에는 내면의 비판자가 당신의 수업 방식, 학급 운영, 시간/업무 관리와 그 밖의 것에 대해 당신에게 이야기하는 비열하고, 끔찍하며, 비판적인 모든 말을 적어 보라. 완성하였으면 오른쪽 칸의 맨 위로 가라. 왼쪽 칸에 있는 내면 비판자의 모든 말에 대해서 오른쪽에 하나하나 반박하는 글을 써 넣으라. 비판자의 추측에 도전하라. 당신의 강점을 단호히 주장하라. 인간이 될 권리, 그렇기에 실수할 수 있는 권리를 주장하라. 내면의 비판자를 대면하는 것은 어떤 느낌인가?

✎ 교사저널에서

비판자의 비난	코니의 반박글
넌 능력이 없어.	뭘 못하는데? 나는 충분히 잘하고 있어!
너는 그 일을 제대로 하고 있지 못해.	이봐, 나는 적어도 그 일을 하고 있다고. 도와주든가, 아니면 그냥 입 다물고 있어.
너는 게을러.	대체 누가 게으르다는 거야? 나는 게으르지 않아! 나는 아침 식사 전에 다른 사람들이 하루 종일 하는 일보다 더 많은 일을 해. 미안하지만 비판자 네가 틀렸어.

너는 똑똑하지 않아.	나는 짜증스러운 오래된 목소리가 나에게 말하고 있는 때를 알아차릴 만큼 똑똑해. 나는 충분히 똑똑하고 앞으로도 계속 더 똑똑해질 거야. 넌 가서 빨래나 개, 내면 비판자야! – 코니

애나의 비판자	애나의 대답
나는 참을성이 없어.	나는 천 번이고 똑같은 것을 설명할 수 있어.
수업 준비가 잘 안 되어 있어.	나는 더 잘 이해할 수 있게 새로운 기법을 사용해. 그래, 가끔 수업 준비가 미흡할 때가 있어. 그게 뭐 어때서?
나는 체계성이 부족해.	나는 체계성을 점점 향상하고 있어.
나는 갈등을 해결할 수 없어.	나는 갈등 해결에 관해 훈련하고, 그에 관련된 책도 읽고 있어.
나는 교실에서 거칠게 행동하는 것 때문에 화가 나.	나는 이 점을 많이 개선했어. 지금의 나는 화내기 전에 생각할 수 있게 되었어. – 애나

#21. 나에게 써 주는 칭찬 시

당신의 교사로서의 자질을 축하하며 자신에게 칭찬 시를 써 보라. 만일 당신이 수치심이나 자의식을 느낀다면, 그 이유는 오직 당신이 그렇게 느끼도록 만드는 것이 내면 비판자의 임무이기 때문일 뿐이다! '나는 ……한 사람이다.' 또는 '나는 ……한 단 한 사람이다.'를 반복해서 사용하라. 자신에게 후하게 칭찬하라(de Wardt, 2011)!

나를 위한 칭찬 시

나는 모든 중요한 측면에서 심사숙고하는 사람
나는 매일의 선물로 눈이 반짝이는 사람
나는 애정을 기울여 돌보는 사람
나는 어둠의 신기루를 쫓아낼 수 있는 사람
죄책감 얼룩 제거제
시적 보물 사냥꾼
관계 미식가
열정의 강의 지류

– 마리제 바레이로

✎ 교사저널에서

셰이의 칭찬 시

나는 웃는 것을 정말 좋아하는 사람입니다
나는 소리 내어 읽는 것을 사랑하는 사람입니다
나는 말할 때 사람들의 눈을 보며 이야기하길 좋아하는 사람입니다
나는 좋은 교사가 되는 것이 어떤 것인지 알고 있는 사람입니다
나는 언제 문제에 집중하고 언제 스스로 해결되도록 내려놓아야 하는지
알고 있는 사람입니다
나는 다른 사람들이 스스로 생각할 수 있도록 이끄는 사람이지요
나는 다른 사람들에게 살아 있음을 상기시켜 주는 사람이지요

쇼안이 교사인 자기에게 바치는 송시

나는 칠판 앞에서 자라는 사람
모든 어린 시선이 모여드는 바로 그곳에서
그들의 눈동자에 나의 빛이 반짝인다.
내 빛남의 비밀은
나는 그 항해사들의 눈이 반짝이는 바닷길
나는 그들의 모국어

나는 마라카나 경기장, 그리고 주제 아풍수의 음악

나는 그들과 함께 이야기의 길을 걸어가는 사람

나는 바위처럼 안전하고 둥지처럼 따뜻하네.

나는 내 스승의 발 아래서 빛나는 지구

쓴 글을 되돌아보며

당신 자신과 내면의 비판자에 대해 어떤 점을 알게 되었나?

✎ 교사저널에서

나는 그가 나를 손아귀에 쥐고 있곤 했다는 것을 깨달았다. 그러나 그가 하는 비판의 말은 그게 맞는 말인지 내가 꾸준히 점검하고 있기 때문에 지금은 쌓여 있지 않다. 종종 이 싸움에서 비판이 진다. 그런 경우가 아니라면, 비판은 무슨 일이 일어나고 있는지 잘 보여 주고 나의 이해를 돕는다. 나는 내가 가치 있게 생각하지 않는 과목을 가르치고 있을 때 그런 것처럼 나의 태도 중에 냉소적인 점이 있다는 것을 알 수 있다. 하지만 아직 좋은 해결책을 찾지는 못했다. 내면 비판자가 들어 있는 작은 유리 상자는 내가 '규칙'을 버리고, 비판자를 추방하며, 재미있는 시간을 보내는 수업을 나타내는 은유다. 내가 발견한 진실은 내가 선생님으로서 기분이 좋다는 것, 나의 학생들에게 좋은 평가를 받는다는 것이다. 또한 나는 관료주의적인 통제에 대하여 낙담하고 있으며, 그 때문에 내가 냉소적인 태도를 가지게 되었다는 것을 알았다.

– 쇼안

08

내면의 독촉자에 대항하기

내면의 독촉자

내면의 독촉자는 "가장 잘 들리는 내면의 목소리 중 하나다. 우리 대부분은 거의 언제든지 이 잠재인격에 동조할 수 있다. 그는 한 손에는 채찍을 들고, 다른 한 손에는 미완성된 일의 목록을 들고 우리에게 어서 일을 계속하라고 촉구하는 자아다." (Stone & Stone, 1996, p.101)

내면의 독촉자의 목소리는 통제할 수 없는 '행동 에너지' 로서 우리가 앞으로 할 일에 사로잡혀 늘 고민하도록 만든다. 이러한 내면의 독촉자의 영향 아래에 있으면, 우리는 충분한 시간을 갖지 못하고 쫓기게 되며 늘 뒤처진다. 내면의 독촉자는 우리가 우리의 마음이 끝없이 길어지기만 하는 일의 목록에서 다음에 해야 할 일이 무엇인지에 초점을 맞추도록 만들기 때문에 우리의 감각을 막고, 우리를 현재의 순간으로부터 멀어지게 한다. 그 목소리는 우리의 몸을 긴장시키고 우리에게 두통, 요통, 근육 긴장, 심지어 만성피로, 각종 궤양 그리고 심장마비를 불러일으킨다.

내면의 독촉자는 '우리가 쉬거나, 긴장을 풀거나, 시간을 낭비하는 것을 싫어하기 때문에' 우리를 자신 그리고 다른 사람에게 불친절하도록 만든다(Stone & Stone, 1996, p.102). 그것은 우리가 아이들의 의견에 귀를 기울이거나 친구들과 시간을 같이 보내는 것 혹은 자연을 감상하는 것과 같이 성공과는 무관하지만 우리의 삶에서 정말로 중요한 일에 등을 돌리게 만든다.

내면의 독촉자가 우리의 교직 생활에 개입하게 되면 우리가 하는 '행동' 은 기계적이게 된다. 우리는 거의 숨을 쉬지 않는다. 우리는 학생들에게 진정한 존재감을 제공할 수 없고, 학급에서 일어나고 있는 것이 무엇이든지 그에 참여할 시간이 없게 된다. 우리는 보고, 들으며, 감상하고, 또 돌보는 것이 불가능하게 된다. 서로 간의 접촉도 없고 우리 자신이 '에너지가 되는' 일도 없다. 우리가 학생들을 사랑한다 해도 학생들은 우리가 자신들을 사랑하는 것을 알지 못할지 모른다. 그것은 힘이 고갈된 것 같은 우리의 모습, 혹은 스스로의 마라톤 경주에 갇힌 채 교실 안과 밖을 급하게 서둘러 들락날락하는 우리의 모습 때문이다.

내면의 독촉자에 맞설 한 가지 확실한 방법은 우리가 우리 삶에서 통제권을 획득하고 자유로운 선택권을 되찾는 것이다. 의식적인 선택은 인간의(우리 스스로의, 그리고 학생들의) 기본적인 욕구에 대한 존중이라는 관점에서 업무와 우선순위를 정하도록 돕는다. 또 다른 해독제는 '에너지를 쓰는 행위'에 과도하게 초점을 맞추는 것에서 벗어나 내가 '에너지가 되어서' 무엇보다 지금 현재의 삶의 질에 초점을 두는 것이다.

내면의 독촉자는 많은 사회적인 강화를 얻는다. 학교 시스템도 개개인의 리듬, 스타일, 그리고 학생과 교사 모두의 독특함을 인정하지 말 것을 부추기는 영역 중 하나다.

내 의지로 우선순위를 정하고, 우리 자신과 학생들의 내면의 리듬과 조화를 이루며, 비록 학교의 기준에 따라 판단될 수는 없을지라도 우리 존재 속의 신성한 것을 존중해 주고, 시간과 친구가 되는 일은 수없이 많은 의식적인 노력을 필요로 한다.

– 마리제

내면의 독촉자를 물리치는 글쓰기 웜업

교사로서 내 시간 관리는……

교사로서 내 내적 리듬은……

✎ 교사저널에서

교사로서 내 내적 리듬은 침착하고, 유동적이며, 종종 명상적이다. 때때로 확고하고 정확하지만 동시에 발전적이며 명백한 혼돈을 만들어 낼 수도 있다. 나는 계획의 노예가 되는 것을 좋아하지 않지만, 비록 그 과정에서 여러 번 중단할 수밖에 없는 일이 생기거나 혹은 그 일을 끝까지 완수하지 못할지라도, 나는 어떤 목적을 성취하기 위해 계획을 세우길 원한다. 내 안의 리듬을 바꾸는 것은 외부적인 요인이지만 나는 그것이 나를 침범하는 것을 허용하지 않으려고 노력한다. 하지만 그것을 물리치는 일은 결코 쉽지 않다.

– 사비에(Xavier), 고등학교 음악교사

내 시간 관리의 핵심은 체계화다. 하루에 8시간의 수업, 날마다 다른 스케줄, 가르치기 위해 준비해야 할 4개의 다른 과목과 함께 일의 체계를 유지하고자 하는 경향이 나를 정상적이고 각각의 수업에 준비되도록 한다. 예를 들어, 교실 배치로부터 물품을 보관하는 것, 학생들의 성적을 매기기 위해 파일을 정리하는 것, 화이트보드에 각 학급의 숙제와 기대하는 것을 적어 놓는 것, 작업 중인 미술 작품을 보관하기 위한 책꽂이, 책상 위의 펜, 지우개, 종이클립, 그리고 고무밴드를 넣어 두는 바구니까지 이 모든 것이 체계적으로 질서 있게 정리되어 있어야 한다. 이 모두가 준비된 상태에 있을 때 나는 분석적으로, 정확하게 일을 할 수 있다. 모든 것이 체계적으로 준비되어야 학생들이 교실에 들어오면 편안하고, 창의적이며, 막힘없이, 그리고 순간순간 학생들의 반응을 살피며 가르치는 내 교육 방식을 펼칠 자유가 주어지기 때문이다.

– 캐슬린, 고등학교 미술교사

#22. 내면 독촉자의 목록

당신이 교사로서 해야만 한다고 스스로에게 말하는 것의 목록을 만들라. 당장 급한 업무와 일부터 시작하라. 그다음엔 미루어진 의무, 빨간 딱지가 붙은 것, 당신이 획득해야 할 기술, 읽어야 할 책, 배워야 할 교육과정, 획득해야 하는 학위, 작성해야 할 학습계획, 당신의 학생과 동료 및 학교를 위해 당신이 하고 싶은 것을 써 보라. 이 목록을 만들면서 당신의 감정과 몸의 감각을 느껴 보라.

✎ 교사저널에서

학습계획 짜기, 학생 평가 방법 결정하기, 그룹과 만나기, 새로운 연구를 따라가기, 주에서 주관하는 회의에 참석하기, 자격증을 따기 위해 평생교육을 받기, 석사 학위 따기, 직원회의, 부모님들께 소식지 쓰기, 팀티칭 계획 세우기, 주에서 열리는 우수교사 수업 공모전에 낼 포트폴리오 만들기, 학교가 지불할 교과 재료 준비하기, 학교에서 지불하지 않는 물품 구입하기…….

– 코니, K-12 읽기교육전문가

나의 내면 독촉자의 목록은 압도적이지 않지만, 그 항목 중 몇몇은 내가 예상한 것보다 더 많은 시간이 들 것이다. 나에게 가장 효과적인 것은 가장 긴급하고 마음에 부담을 주는 업무를 선택해서 가능한 한 빨리 처리함으로써 내 마음 한구석에 남아 나를 괴롭히는 불편함을 없애 버리는 것이다.

– 사비에

#23. 마음의 자유로운 방랑

5분 동안 두 눈을 감은 채 편안한 자세로 앉아 느리고 깊은 호흡에 집중하라. 호흡을 하면서 긴장을 풀라. 당신의 마음이 자유롭게 방랑하도록 하라. 만약 당신이 초조함을 느끼기 시작한다면, 어깨, 턱, 혀, 손, 그리고 발의 긴장을 풀어 흐늘흐늘하게 하라. 다시 당신의 마음이 해방되고 자유롭게 방랑하도록 하라. 열린 목초지로…… 나비의 정원으로…… 풍경이 내려다보이는 산 정상으로…… 맨발로 걷는 해변의 모래사장으로…… 별이 가득한 하늘로…… 마음껏 다녀 보라. 다시 돌아왔을 때, 내면의 여행에 대해 글로 쓰라. 어디에 갔는가? 지금 당신의 기분은 어떠한가?

✎ 교사저널에서

모고르의 폐허로부터 해가 지는 것을 보는 것은 시간 낭비라고 생각될 수도 있고, 혹은 끝없는 색깔 변화의 흐름을 보는 것이라 생각될 수도 있다. 나는 몇몇 사람이 쓸데없거나 비생산적이라고 생각하는 이런 모든 활동을 사랑한다.

– 사비에

나는 자유롭게 흐르는 바다처럼 기대에서 해방되어 단지 이 순간에 만족하며, 내 감각에 몸을 맡기고 그것에 의지해 표류한다. 새소리에 귀를 기울이고, 토끼가 잔디를 가로질러 달려가는 것을 보며, 한 마리의 개미가 철제 테이블 가장자리에서 빠른 스텝으로 춤을 추는 것을 본다. 내 둥지에 앉아서 단지 숨을 쉬면서, 단지 존재하면서, 무언가 신비로운 일이 부화되기를 기다린다.

– 캐슬린

#24. 아무것도 하고 있지 않을 때 나는 누구인가

당신의 마음에게 자유로운 방랑을 허용한 후(#23) 이 질문을 적어 보라. 내가 아무것도 하고 있지 않을 때, 나는 누구인가(Makimaa, 2011)?

✎ 교사저널에서

내가 아무것도 하고 있지 않을 때…… 나는 더 나다워진다.

– 사비에

내가 아무것도 하고 있지 않는 대부분의 시간에 나는 잠을 잔다. 인정하기 싫지만 진정한 답은 내가 아무것도 하고 있지 않을 때 나는 아무것도 아니라는 것이다. 왜냐하면 난 항상 무엇인가를 하는 중이기 때문이다. 학교 일을 제외하고는 어떤 일도 할 에너지나 시간이 없다. 가르치는 일 이외에 나에게 무언가 다른 삶이 있었다는 느낌, 그리고 가르치고 있지 않을 때도 여전히 내가 '의미 있는' 그 무엇이 되기 위해서 계획을 했다는 느낌은 이미 희미해졌다. 나는 학년이 끝나고 방학을 맞는 여름이면 '의미 있는' 존재가 되고, 터무니없게도 내가 그 나머지 시간 동안에 일했던 것만큼 여름 내내 열심히 놀았다고 말하고 싶다. 정말로 나는 이제 균형 잡히지 않은 이 삶의 방식에 대해 깨닫기 시작했고, 그런 삶에 대한 내 태도에 분개한다. 때때로 나는 거의 날마다 영감을 가지고 있었던 젊은 여자, 자신에 대한 믿음과 활력으로 역동적이고 실험적인 수업을 밀고 나갔던 그 젊은 여자를 생각한다. 그녀는 이제 약간 나이가 들었다. 사실이다. 그리고 이제 더 이상 끝이 없는 그런 에너지를 갖고 있지 않다. 하지만 나는 이러한 것은 대부분 변화에 관한 문제라고 본다. 나 자신을 실제로 고무할 수 있는 프로젝트나 아이디어를 발전시킬 시간을 갖기 위해서 내가 무엇을 다시 체계화하고 무엇을 버려야만 하는지 알기 위한 분석이 필요해 보인다.

– 마르타, 고등학교 영어/문학, 스피치/드라마, 저널리즘교사

#25. 내 마음이 원하는 목록

다음 달 가르칠 일에 대해 마음이 원하는 활동 목록을 만들어 보라. 만약 내면의 독촉자가 방해하기 시작한다면, 그/그녀를 차나 만들라고 부엌으로 보내 버리라.

✎ 교사저널에서

안톤(Antón)의 목록

- '교육자의 길' 이라는 활동에 참여하기
- 학교에서 교사의 기술과 컴퓨터 능력을 향상하기 위한 팀을 이끌기
- 동료들과 내 모든 프로젝트를 공유하기. 그들과 함께 협력하는 것은 나와 내 자존감을 향상하기 위해 매우 중요하다.
- 내 채소밭과 포도밭을 돌보면서 휴식을 취하기

사비에의 목록

- 전통 춤을 준비할 것
- 음악 수업에 적합한 컴퓨터 능력 향상을 위한 과정에 참여할 것
- 야외 수업을 위한 활동을 고안할 것
- 우리가 음악을 관람하는 대신 더 많은 음악을 연주할 수 있도록 수업을 구성할 것. 음악은 우선 연주되고, 그다음에 분석되어야만 한다. 순서가 바뀌면 안 된다.

#26. 여가 활동

당신의 여가 시간을 즐기기 위한 방법을 목록으로 작성해 보라. 당신이 재정적으로 그리고 시간상 할 수 있는 하나를 선택하여 다음 30일 동안 그것을 하기 위한 계획을 작성하라. 즐거운 여가 활동을 생각할 때 어떤 기분이었는가? 하루 동안에 당신이 스스로에게 줄 10분의 기쁨이 있는가? 잠시 기지개를 펴는 휴식 시간이 있는가? 잡지에 있는 기사나 칼럼 하나를 읽을 시간은 있는가? 잠깐 거리의 끝까지 걸어갔다가 돌아올 시간은 있는가?

✎ 교사저널에서

마르타의 목록

- 잠
- 나중에 보려고 녹음해 놓았던 모든 텔레비전 쇼를 보는 것
- 잠
- 친구에게 전화해서 저녁 식사를 하고 영화를 보러 가는 것
- 잠
- 호수 주변을 산책하는 것
- 잠
- 올여름 어딘가로 탈출할 수 있도록 내가 자주 찾는 여행 사이트에서 특가 상품을 찾아보는 것
- 잠
- 교통수단을 하나 선택해서 다른 도시로 가는 것

- 잠
- 요가를 다시 시작하는 것. 이번엔 정말 열심히 규칙적으로 하기
- 잠
- 교사직을 위한 책이 아니라 정말 시시한 소설을 읽는 것
- 잠
- 타호나 베가스로 가는 비행기 표를 예약하여 그곳에 가서 연달아 쇼를 보는 것
- 잠
- 내가 너무나도 바빠서 그동안 소홀했던 오래된 친구들 중 누구라도 한 사람에게 전화하는 것
- 잠

쓴 글을 되돌아보며

당신의 내면의 독촉자의 목소리를 물리치고 당신이 이 장에서 했던 것에 대해 성찰하여 보라. 당신이 쓴 글에서 무엇을 깨닫는가? 무엇이 당신을 대변해 주는가?

✎ 교사저널에서

왜 나는 잠에 몰두하는 것일까? 나는 내가 피곤하다는 것을 알고 있다. 왜 나는 그것을 공개적으로 말해야 하는가? 아, 이것은 단지 자기 연민이며 다른 사람의 동정을 구하는 일종의 시위일 뿐이다. 나는 모든 납세자에게 그들의 아이를 성공적으로 만들기 위해서 영어교사가 얼마나 믿을 수 없을 만큼 열심히 일해야 하는지를 알리고 싶다. 그것이다. 그리고 내가 한밤중까지 학생들의 시험지를 채점하지만 여전히 그것을 보상받는 만족감은 거의 느끼지 못한다는 것이다.

– 마르타

나의 내면의 독촉자는 아주 크게 이야기한다. 나는 채워야 할 많은 공허함을 느낀다. 나는 만족스럽지 않다. 나는 배우기를 원하고, 뒤처지기를 원하지 않는다. 가르치는 일은 빠르게 변화하고 있고, 나는 그 변화를 따라가지 못한다. 나는 항상 뒤처져 있고, 항상 조금씩 더 뒤처진다. 나는 이러한 길에서 외로움을 느낀다. 때때로 나는 도움의 손길을 받지만, 이내 손을 놓치고 어느새 다시 뒤처져 있는 나 자신을 보게 된다. 나는 어떤 연수 과정을 들음으로써 따라잡으려고 노력하지만, 그렇다고 상황이 더 나아지지도 않는다. 내가 이렇게 작다고 느끼는 동안에는 앞으로 나아갈 수 없다는 것을 나는 잘 알고 있다. 나는 성장해야만 하고, 반드시 발전해야만 한다. 나는 기다릴 수 없다. 나는 산소를 얻고, 슬프고 피곤하며 아픈 내 몸을 일으켜 세워 밀어 주어야 한다.

– 사벨라, 고등학교 화학교사

09

불꽃 키우기

지식에 대한 사랑

우리 모두는 우리 자신과 세상에 대해 알고, 탐구하며, 발견하고자 하는 깊은 욕구를 가지고 태어난다. 이러한 앎에 대한 열정은 유아기 때는 매번 더 많이 만지고 탐색하고자 하는 욕구로 표출된다. 이 열정은 우리가 성장하면서 우리 자신에게 세상의 이치에 대한 보다 더 복잡한 질문을 던지면서 진화하게 된다. 멜라니 클라인(Melanie Klein)과 같은 몇몇 심리학자는 이와 같은 욕구를 인식애적 충동(epistemophilic impulse)이라 정의하고, 아동의 타고난 호기심을 억제할 경우 차후에 나타날 수 있는 학습장애에 대해 연구하였다(Alford, 2001).

그들이 가르친 것에 만족하면서 교사 생활을 시작한 교사조차도 수년간의 습관적인 교사 활동을 하고 나면 스스로 반복적이고 지루하다고 느낄 수 있다. 우리는 종종 우리의 지식이 인류에게 얼마나 중요한지, 그리고 학생들이 더 나은 삶을 영위하도록 어떻게 도울 수 있는지 쉽게 망각한다. 우리가 풍부한 감정과 영감이 있는 교육을 하고 싶다면, 지식에 대한 우리 자신의 열정의 불꽃을 키워 나가는 것은 필수적이다.

우리는 또한 (그것이 얼마나 이상한 것이든!) 학생들의 질문을 들어 주고, 그들의 세상 속에서 학생들을 만남으로써 그들의 호기심을 길러 주며, 매일 반복되는 일상 속에서도 소중한 열정의 불꽃을 다스리는 우리만의 방법을 찾기 위해 얼마간의 시간을 할애할 수 있을 것이다. 쉽지는 않겠지만 보람 있는 일이 될 것이며 우리의 교사 생활에 잊지 못할 순간이 될 것이다.

– 마리제

불꽃 키우기를 위한 글쓰기 웜업

내가 가지고 있는 전문적인 지식은 학생들 개인에게 어떻게 도움을 줄 수 있는가? 또한 인류에게는 어떤 도움이 되는가?

당신의 전문 분야에서 당신이 존경하는 뛰어난 인물은 누구인가? 그 사람의 어떤 면을 존경하는가?

✎ 교사저널에서

만약 학생들이 더 많은 단어와 표현을 안다면, 언어의 여러 수준을 안다면, 작품을 해석하는 법을 훈련한다면, 나는 그들이 어떠한 상황이든 어떠한 사람하고라도 더 잘 소통할 수 있을 것이라고 믿는다. 언어 예술은 학생들이 내면을 표현하고, 더 잘 이해받으며, 서로 소통하는 데 도움을 준다. 우리의 사고는 언어에 의존하기 때문에 언어 예술은 학생들에게 사고하는 법을 가르칠 뿐 아니라 학생들의 자기 성찰을 돕는다. 언어 예술은 우리가 함께 나누고, 감정을 전달하며, 갈등을 해결하도록 촉진시키고, 즐기며, 계획을 실천하고, 창조하며, 꿈을 꿀 수 있도록 돕기 때문에 전 인류에게 큰 도움이 된다. 다시 말하면, 언어 예술은 인류의 발전을 조성한다.

– 마리아 호세, 고등학교 스페인어/문학교사

미술 — 미술을 보고, 만지며, 창조하는 일— 은 학대받는 아이들에게 깊이 바라보게 하고, 정말로 '볼 수 있는' 기회를 제공해 준다. 미술은 그 아이들로 하여금 아프리카인의 초상화를 보면서 그 붓질 속에서 자신과 같은 피부의 아름다움을 창조해 내는 수많은 색깔을 눈으로 볼 기회를 준다. 또한 미술은 아이들이 자신의 내면 깊은 곳에 있는 평화롭고 고요한 곳을 발견하고, 그곳에서 새롭게 인식하며, 아마도 그들의 학교생활에서 처음으로 자부심과 성취감을 느낄 수 있도록 돕는다.

– 캐슬린, 고등학교 미술교사

수학이 없었더라면 인류는 과학기술을 발전시키지 못했을 것이다. 수학은 엔지니어, 건축사, 그리고 과학자를 키워 내는 데 중요한 역할을 한다. 수학은 의학, 생물학, 사회과학과도 밀접한 관계를 가진다. 기업은 지출비용을 최소화하기 위해 수학을 활용한다. 수학은 공공교통이 안전할 수 있도록 돕고, 통신수단의 혁신을 일으키며, 무수한 과학적 발견에 영향을 미친다. 수학은 여러 가지 변수하에 현실에서 일어날 수 있는 상황의 모델을 만들어 냄으로써 문제의 해결책을 찾도록 돕는다.

– 플라비오(Flavio), AP 수학교사

#27. 불꽃 콜라주

잡지, 신문, 옛 달력, 카탈로그, 혹은 이와 비슷한 것을 모아 보라. 가위와 풀을 준비하라. 당신의 저널이나 혹은 백지에 글과 그림을 통해 자신의 전문 지식의 아름다움, 깊이, 지혜, 그리고 가능성뿐만 아니라 지식과 배움을 향한 당신의 순수한 사랑을 표현해 보라.

✎ 교사저널에서

나의 콜라주는 우주를 가로지르는 보이지 않는 선, 그 속에 뛰어들어야 하는 선, 따뜻한 색의 선, 이해가 필요한 언어의 선을 따라가는 여정에 관한 것이다. 암호를 이해하기 위해서는 보물이 숨겨져 있는 언어의 섬을 헤엄쳐야 한다. 언어는 보물이고, 보물은 여정이며, 여정은 수영이다. 스토리텔러인 나는 물 밑 상하이의 넓은 거리를 지나 '당신은 잊지 못할 여정의 중심입니다.' 라는 문장 옆에 평화롭게 줄지어 앉아 이야기하는 군중을 향해 간다. 여정이라는 단어는 이미 작은 초록 집과 푸른 바다와 함께 북쪽에 있다. 등장인물이 시간과 목적을 가지고 여정을 떠나는 옛 영화 〈아프리카의 여왕〉처럼 아름다움은 시간을 초월하여 숨어 있다. 속도가 그렇게 중요한 것인가? 암호 해독이 필요한 보이지 않는 선은 험프리 보거트와 오드리 햅번의 보트를 잊지 못할 여정의 작은 집으로 이어 주고 있다. 내게 필요한 것은 이것뿐이다. 도착은 언제나 돌아옴을 의미한다. 집에 온 걸 환영한다.

– 쇼안, 중학교 갈리시아어/문학교사

나의 콜라주는 수채화 물감, 유화기름, 모자이크, 만다라, 조각과 같은 (나의 트레이드 마크인) 화려한 색감의 미술 이미지와 미술 붓, 색연필, 팔레트 나이프와 같은 미술 도구로 만들어졌다. 나는 유기적인 선과 모양(언덕과 꽃, 석양의 부드러운 곡선)을 좋아한다. 그래서 내 콜라주는 그것을 반영했지만, 동시에 만다라의 기하학적인 선, 알록달록한 선, 그리고 미술 도구도 포함되었다. 가르치는 일에서 나의 강점은 학생들이 색 안의 색을 보도록 돕고, 또 창조할 수 있도록 돕는 것이다. 나의 콜라주는 그러한 색에 대한 기호와 색 위에 색이 섞인 조화를 보여 준다. 밝은 오렌지와 노란색 구를 들고 있는 조지아 오키프 이미지 뒤에 햄버거, 콜라 병, 만다라, 그리고 놋쇠 꽃병에 담겨 있는 보라색, 파란색, 초록색, 노란색, 황금색의 꽃에게로 물 흐르듯 이어지는 풍부한 아크릴 물감의 팔레트 나이프가 펑키한 모자이크를 이루고 있고, 그 뒤로 보라색, 파란색, 초록색이 흘러내리는 언덕이 보인다. 이 모든 것이 마치 인생처럼 층층이 겹쳐져 있다. 나는 콜라주에서 단어는 '예술'이라는 말 하나만 사용했다. 시각예술은 그 자체가 하나의 고유한 언어이기 때문이다.

– 캐슬린

#28. 감사 편지

당신의 전문 분야에게 혹은 그 분야에서 당신이 존경하는 인물에게 감사의 편지를 써 보라. 또는 당신이 살고 있는 지역, 주, 혹은 전국 학회에서 발행되는 회보나 잡지에 그 분야에 대한 당신의 사랑을 표현하는 칼럼이나 소견을 써 보라.

✎ 교사저널에서

언제나 적절한 언어를 찾아내는 이에게, 어려운 것을 쉽게 만드는 이에게, 표현력이 평범하지 않고 섬세하며 풍부한 이에게, 사람들에게 그의 언어로 위로를 받는 느낌을 주는 이에게, 누군가에게 강압적이거나 상처를 주지 않으면서 자신의 생각을 표현할 수 있는 이에게, 자신의 말에 따뜻함을 담아 보내는 이에게, 그리고 미처 당신이 말하지 않은 것을 이해할 수 있는 능력을 가진 이에게, 그런 사람에게 이 감사의 편지를 보냅니다.

나는 당신의 말을 듣는 것을 좋아합니다. 당신은 어떤 주제로 이야기를 하든지 나의 관심을 일깨웁니다. 당신은 내가 탐험하고자 하는 세상의 문을 열어 줍니다. 당신이 아니었다면 나는 그 세상이 존재하는지도 몰랐을 겁니다. 당신은 내 주변 세상과 내 안의 세상에 대한 당신의 사랑을 이야기하고 내가 그 세계를 이해할 수 있게 도와줍니다. 나는 당신의 말을 나의 것으로 만듭니다. 당신 옆에서는 모든 것이 쉽습니다. 더 이상 낭떠러지도, 장벽도 없습니다. 당신과 함께라면 나는 자신 있습니다. 나는 그 어느 것과도 부딪힐 수 있습니다. 나는 당신의 고요함을 느끼고, 당신의 언어로 만든 세상에서 안락함과 안전함을 느낍니다. 나는 더 이상 혼자가 아니라고 느낍니다. 마치 수많은 내가 있는 것 같습니다. 나는 당신의 세상에서 내가 할 수 있는 것을 즐깁니다. 숨 쉬고, 누우며, 듣고, 느끼며, 냄새를 맡고, 존재하는 것을.

– 마리아 호세

내가 만약 신문 칼럼을 쓴다면

많은 학생이 수학을 싫어한다. 그러나 그들은 수학이 우리 주위의 모든 것과 연관성을 갖고 있음을 알지 못한다. 수학이 없었다면 지금 우리가 길들여진 온갖 편안함도 존재할 수 없었을 것이다. 만약 파라볼라 안테나가 포물선이 아니었다면 어떻게 되었을까? 차의 헤드라이트가 다른 모양이었다면 어떻게 되었을까? 우리는 금속 잔해물이 어느 만(灣)의 바다으로 떨어지게 될지 예측할 수 있을까? 고대 이집트와 그리스의 수학부터 현대 수학까지 커다란 변화가 있어 왔지만, 수학은 언제나 변함없이 문제를 해결하고 모든 것을 더 나아지게 만들고자 하는 동일한 목적을 가지고 있다.

– 플라비오

#29. 불꽃 키우기

당신이 일을 하는 동안 당신은 어떻게 자신의 열정의 불꽃을 보살피고 키울 것인가?

✎ 교사저널에서

내 과목을 배우고자 하는 욕구는 사물에 대한 약간의 호기심, 열린 마음, 관심만 있으면 자연스럽게 생긴다. 세상의 모든 것이 언어다. 누군가의 이야기를 듣는 것, 당신이 영화를 보고 콘서트 혹은 산책을 다녀온 후 보고 느낀 것에 대해 말하는 것, 당신이 여행을 갔다 온 나라가 어땠는지 말하는 것, 혹은 당신의 잼 만드는 법이 어떻게 더 좋아졌는지 말해 주는 것. 감정이 풍부한 사람일수록 자신의 학생들에게 가르칠 것이 더 많다.

– 마리아 호세

영어교사와 시간강사, 그리고 아동과 청소년을 위한 거주치료 시설에서 가족치료사로 일을 하다가 뒤늦게 미술교사가 된 나는 계속해서 미술 작업을 하는 새로운 방법을 배우고 있고, 이 배움을 나의 학생들과 공유하고 있다. 어느 것도 정적인 것은 없다. 매년 나는 학생들에게 새로운 지식, 새로운 기술, 그리고 새로운 프로젝트를 제시한다. 그들과 같이 나는 나 자신 안의 예술가를 발견하고 있는 중이고, 늘 되어 가며, 진화해 가고, 변화해 가는 과정 중에 있다. 지혜는 나에게 '나 자신도 학생이 되는 것', 그것이 바로 나 자신을 더 나은 선생님이 되게 해 준다고 말한다. 가끔 학생들이 수업 시간에 "전 그림을 그릴 줄 몰라요."라고 주장할 때면, 나는 "나도 내가 그림을 그릴 수 있는지 몰랐단다. 하지만 나는 지금 그림 그리는 법을 배워 가고 있는 중이고, 너희에게 보여 줄 수 있단다."라고 말한다. 비록 전문가는 아니지만, 나는 나의 학생들과 함께 실험을 할 준비가 되어 있을 뿐만 아니라 위기에 처해 있는 학대받는 청소년들과 소통하는 법을 알고 있다. 나는 미술을 가르치면서 나 자신과 내가 가르치는 젊은이들에게 무한한 가능성을 열어 주었다. 미술 작업을 하는 것은 우리에게 수많은 달콤한 성공의 순간, 긍지의 미소, 그리고 희망을 가져다주었다.

– 캐슬린

쓴 글을 되돌아보며

당신은 열정의 불꽃을 살아 숨 쉬게 유지하는 것에 대한 성찰을 하면서 무엇을 깨달았는가?

✎ 교사저널에서

나는 내가 아이들을, 미술을, 그리고 가르치는 것을 사랑한다는 것을 느꼈다. 나는 내가 학대받는 십 대가 성공하도록 도울 때 내가 온전히 존재한다는 느낌을 받는다.

– 캐슬린

10

교사 되어 가기

잠재력의 힘

교사가 된다는 것은 매일의 도전이다. 우리는 끊임없이 일상과 긴급 상황에 모두 준비되어 있어야 한다. 우리가 진정 어느 방향을 향해 가고 있는지에 대한 감각은 그만큼 잃기 쉽다.

우리가 계속해서 겨우겨우 생존을 위해 사는 방식을 택하거나 방향 감각을 잃은 채 방어적인 태도를 경험한다면 매우 힘든 시간이 될 것이다. 그러나 그렇지 않을 때는 교사가 된다는 것이 자율권을 느낄 수 있고, 창의력, 연민, 인간의 상호성, 경이로움의 공유, 그리고 헌신과 같은 최고의 인간적 특성을 개발할 수 있는 좋은 기회다. 이러한 시간은 우리가 학생들의 생각과 마음을 만지고 열어 줄 뿐만 아니라 동시에 우리 자신을 치유할 수 있는 교사라는 직업이 가지고 있는 엄청난 잠재력을 깨닫도록 해 준다.

개인적이고 전문적인 진보의 경로를 파악하는 것은 현재와 과거의 경험을 이해하는 데 큰 도움이 된다. 장차 꽃을 피우고, 발현되기를 갈망하며, 우리 내면에서 싹트고 있는 자질과 열망을 계속해서 알아 가는 것 또한 큰 도움이 될 것이다.

우리가 우리 자신의 진정한 잠재력을 더 잘 이해할수록, 또 우리가 주어야 하는 모든 보물을 우리 자신에게 이야기하는 연습을 많이 할수록, 이를 현실에서 성취할 수 있는 확률은 더 높아진다. 그러므로 우리가 교사로서 성취할 수 있는 것에 대해 야망을 갖는 것, 그리고 우리 자신과 우리 학생들의 잠재력에 대한 위대한 비전을 갖는 것은 얼마든지 좋다. 바로 이러한 비전이 우리의 일상 업무에 목표를 심어 줌으로써 집중력과 활력을 불어넣을 것이다.

– 마리제

교사 되어 가기 글쓰기 웜업

나는 ……한 교사가 되고 싶다.

교사로서 나는 ……를(을) 버리고, 대신 ……를(을) 수용한다.

✎ 교사저널에서

교사로서 나는 차이점을 받아들이고, 사람이나 사물을 규정짓는 일을 버리며, 최소한 그러려고 시도할 것이다. 나는 주어진 상황에 순응하지 않을 것이고, 그 결정은 바뀌지 않을 것이다. 나는 항상 새로운 해결책을 모색할 것이다. 나는 더 이상 재고의 여지가 없다고 선언하는 것을 싫어한다.

– 나나, AP 철학교사

나는 이런 교사가 되고 싶다. 학생들이 다른 사람들, 다른 것, 그리고 자연을 존중할 수 있도록 돕는 선생님이 되고 싶다. 나는 그들이 인간은 그 어느 것의 우위에 존재하는 것이 아니라 모든 것에 속해 있다는 사실을 이해했으면 한다. 그렇기에 만약 우리가 서로에게 해를 끼치거나 우리의 환경에 해를 끼친다면, 그 해는 불가피하게 우리에게 돌아온다는 사실을 말이다. 나는 학생들이 우리 모두가, 심지어는 아직 태어나지 않은 존재조차 권리를 가지고 있으며 바로 이것이 우리가 우리를 둘러싸고 있는, 그리고 당연히 미래의 '우리'를 둘러싸게 될 주변의 모든 것에 관심을 가져야 하는 이유임을 이해하길 바란다.

– 사벨라, 고등학교 화학교사

나는 나의 분노를 내보내고 사랑과 존중을 품겠다. 나는 증오를 내보내고 유머 감각을 품겠다. 나는 나의 통제 욕구를 내보내고 나를 학생들의 자리에 앉히는 유연함을 품겠다. 선생님으로서 나는 프로그램을 끝내라고 나를 독촉하는 마음을 내보내고 중요한 것을 선택하는 양심을 품겠다.

– 쇼안, 중학교 갈리시아어/문학교사

#30. 마법의 양탄자 타고 여행하기

편안한 곳에 자리를 잡고 앉아 눈을 감고 긴장을 풀자. 당신에게 마법의 양탄자가 있고, 당신의 학생들과 마법의 양탄자를 타고 모험을 떠난다고 상상해 보자. 그들을 어디로 데려가겠는가? 그들에게 무엇을 보여 주겠는가? 그들이 무엇을 배우고 영원히 간직했으면 하는가(Silverstone, 2009)?

✎ 교사저널에서

만약 나에게 마법의 양탄자가 있다면, 나는 나의 학생들을 기아, 환경오염, 의약품 및 의료진 부족, 생명에 대한, 특히 아동의 생명에 대한 사랑이 부족한 행성의 나라로 데려가겠다. 우리는 의식도 하지 못한 채 제3국을 억압하고 상처 주는 제1국에 살고 있다. 우리에게는 변화를 가져올 수 있는 도구가 있다. 우리는 변화를 만들기 위해 노력해야 한다. 우리는 절대 이러한 현실에 눈을 감을 수 없다. 과학은 이 도구 중 하나이며, 아마도 최고의 도구일 것이다. 우리는 그저 과학을 믿고, 취하며, 활용해야 한다. 화학은 질병을 치료하고, 자연이 제공하지 못할 때 자원을 제공해 주며, 사람들의 삶의 질을 높여 줄 수 있는 과학이다.

나는 학생들이 이러한 사실을 깨닫고 느꼈으면 한다. 무지함은 우리를 바보로 만들고, 남에게 더 의존적이게 만든다. 우리가 더 많이 알수록, 우리는 더 많은 것을 더 훌륭히 변화시킬 수 있다.

나는 또한 우리가 이 지구 위에서 벌어진 과학의 실수와 업적을 직접 목격할 수 있도록 마법의 양탄자를 타고 시간 여행을 할 수 있었으면 한다. 나는 학생들이 자신의 모험을 기억하면서 책임감 있는 어른이 되어 그들의 뒤를 이을 자녀들을 양육했으면 좋겠다.

– 사벨라

만약 내가 학생들을 데리고 모험을 떠날 수 있다면, 나는 70년 전으로 시간 여행을 할 것이다. 나는 그들이 공부를 할 수 있는 것이 특권이었던 시절을 목격하고 공부의 소중함을 이해했으면 한다. 나는 그들이 오늘날에 이르기까지 든 노력과 현재를 가능케 만든 사람들을 보았으면 한다. 나는 학생들이 이 모든 것이 어떻게 시작되었는지를—어쩌면 그 어떤 권리와 보호도 없이 공장에서 일하는 아이들로부터 시작되었음을—보았으면 한다. 나는 그들이 현재 자신들이 누리고 있는 그 보호받고 있다는 느낌을 가능케 만들어 준 사람들을 알았으면 한다.

그리고 나는 학생들이 그 아이들과 같이 이야기를 나누고, 그 아이들의 열망을 함께 나누기를 원한다. 1940년대 청년의 걱정거리는 무엇이었을까? 2012년 청년들의 걱정거리와 비슷하였을까? 나는 그들이 서로서로 자신들의 걱정거리에 대해 이야기를 나누기를 원한다. 아마 우선순위가 바뀔 것이다.

– 나나

#31. 내가 가진 최고의 잠재력을 표현하기

저널을 펼쳐 미래의 어느 날—지금으로부터 2년, 5년, 또는 10년 후—을 써 보자. 교사로서 당신이 가진 최고의 잠재력을 발휘하는 모습을 상상해 보라. 가장 전형적인 하루 또는 한 주를 묘사하는 저널을 써 보라. 당신이 가진 최고의 잠재력은 어떻게 꽃피었는가? 당신은 어떤 교사가 되어 가고 있는가?

✎ 교사저널에서

나는 실험실에서 나의 학생들에게 화학을 가르치고 있다. 우리는 이 분야에 자신의 인생을 헌신한 사람들의 연구를 그대로 따라 수행하고 있다. 나는 결과를 알지만, 그들은 모른다. 그들은 곧 새로운 것을 발견할 것이기에 긴장한 상태다. 그들은 경탄을 금치 못한다. 그들은 그들이 보고 있는 것에 대해 나에게 질문을 하고, 나는 그 답을 알고 있다. 우리는 행복하다. 우리는 모두 우리가 하고 있는 실험을 좋아한다.

나는 동료들과 함께 교사 휴게실에 있을 때 편안함을 느낀다. 그 누군가에게서 판단받는 기분이 들지 않기 때문이다. 우리는 서로를 돕는다. 우리는 협동한다.

집으로 돌아오면 나는 부인이 되고, 엄마가 된다. 그리고 나는 시간을 내어서 새로운 것을 공부하고, 새로운 것을 배우는 것을 좋아한다. 나는 시대에 뒤떨어지지 않는 것이 좋다. 나는 내가 잘하고 있다고 느끼고 싶다.

– 사벨라

#32. 나의 다음 발걸음

당신이 교사로서 가지고 있는 자신의 가장 높은 비전을 염두에 두고 그곳에 다다르기 위해 필요한 단계에 대해서 생각해 보자. 지금부터 시작할 수 있는 일 중에 당신을 그 길로 이끌어 줄 수 있는 단계는 어떤 것인가? 거기에는 당신이 실천할 수 있는 일이 있는가? 당신이 새롭게 싹 틔울 아이디어가 있는가? 바꿀 수 있는 행동이 있는가? 아니면 당신이 변화시킬 수 있는 태도가 있는가? 당신의 다음 발걸음은 무엇인가?

✎ 교사저널에서

나의 다음 발걸음은 신체적 · 정서적으로 더 많은 것을 배우고 더 나은 것을 느끼는 것이다. 나는 나의 지식을, 특히 과학에 대한 지식을 더욱더 넓히고 싶다. 과학은 끊임없이 진보하기 때문에 나는 나의 학생들이 새로움을 향해 항상 열려 있기를 바란다. 우리는 많은 것을 이해할 수는 없을지 모르지만 수용하는 자세를 가질 수 있고, 이런 면에서 나는 학생들에게 모범을 보이고 싶다.

나는 새로운 과학기술뿐 아니라 언어와 문학, 미술, 사회과학과 같은 타 분야의 지식도 탐구하고 싶다. 나는 교양을 갖춘 교사가 되고 싶다.

또한 나는 내가 가르치는 것을 즐기고, 나의 학생들이 내가 줄 수 있는 최고를 받을 수 있도록 나의 두려움과 불안함을 정복하고 싶다. 나는 매일의 교사 생활에 필요한 힘을 유지하기 위하여 나를 돌보고 적절한 휴식을 취하고 싶다.

– 사벨라

나는 나의 다음 발걸음이 무엇인지는 모르지만, 내가 안전하기 위해서 계속 나 자신을 숨기며 학생들과 멀어지는 것은 아니라는 점을 알고 있다. 나는 나 자신을 더 개방하기 위해 계속 노력해야 한다. 수많은 학생 앞에서 약한 모습을 보이는 것은 어려운 일이다. 나는 나의 두려움을 상쇄하고, 그들과 얼굴을 맞대고 이야기하며, 그들의 이야기에 귀 기울이는 방법을 발견했다. 비록 어렵지만 이러한 노력은 멈추지 말아야 하며 더욱더 깊이 발전해야 한다.

나의 야망은 좋은 선생이 되는 것이며, 나의 목표와 나의 학생들의 목표가 일치할 수 있도록 교육에 대한 최적의 헌신을 하는 것이다. 나는 그들이 자신만의 공부 방법과 살아가는 법을 찾을 수 있도록 돕고 싶다.

나의 다음 발걸음은 끊임없이 진화하고 도전하는 것, (만약 가능하다면) 그 어떤 것도 놓치지 않기 위해서 두 눈을 크게 뜨고 있는 것이다.

– 나나

쓴 글을 되돌아보며

당신이 교사로서 어떤 사람이 되어 가는지에 대해 느낀 점은 무엇인가?

✎ 교사저널에서

이 활동을 통해 나는 내가 무엇을 하고 있는지에 대해 깊은 깨달음을 얻었다. 이미 알고 있는 것이었지만, 글로 쓴 뒤 그것은 나에게 거의 신성한 것이 되었다. 나는 사랑과 의미 있는 것에 대한 헌신에 더욱더 깊이 연결되었다. 비록 의무적인 수업과 시험에 타협을 하겠지만, 진정 중요한 것은 나에게 의미 있는 것이다.

– 쇼안

나는 22년 동안 교사로서 일해 왔다. 나는 내 직업 인생의 중간에 와 있다. 나에게는 좋은 일도, 힘든 일도 있었다. 아마 앞으로도 나에게는 좋은 시간과 힘든 시간이 있을 것이다. 나는 다가올 나의 미래에 맞설 용기를 원한다. 나는 나의 학생들에게 나의 슬픔과 피로를 전달하고 싶지 않다. 그들이 무슨 잘못이겠는가.

– 사벨라

11

끝맺음과 시작

끝을 맺으며

글쓰기가 우리의 생각을 명료하고 깊이 있게 만들어 주며 우리의 경험이 어떻게 서로 맞물려 있고 의미가 통하는지 발견하게 해 주는 방식은 언제나 놀랍다. 우리가 글쓰기를 할 때, 인생의 여정은 굴곡과 정점, 기쁨과 고통으로 한 장 한 장 빛이 난다. 우리의 장애물, 투쟁과 혼란이 명백해지며 그들이 내 삶에 어떻게 생겨났는지 역시 분명해진다. 우리의 지혜와 용기가 우리에게 가장 필요한 말을 속삭여 주기 시작하며, 우리가 다시 얻은 힘과 에너지로 미궁을 빠져나갈 수 있도록 이끌어 준다.

이 책의 글쓰기 과정은 새로운 이해와 관계, 여러 질문으로 가는 길을 열어 주고, 우리를 더 넓은 숨 쉴 공간으로 이끌어 준다.

이제는 여태까지 썼던 모든 것을 되돌아보고 우리가 스스로에 대해 살펴본 것을 생각해 볼 때다. 이제는 우리가 뿌려 놓은 씨를 수확하고, 발굴한 보석을 모으며, 우리의 지혜가 우리를 다음 단계로 인도하도록 할 때다.

또한 이제 '표현적 글쓰기'가 글쓰기 경험에 어떻게 유익한지 살펴볼 때다. 우리는 많게는 65개의 웜업과 글쓰기, 성찰글을 쓰며 무엇이 우리 개개인에게 효과적이고, 글쓰기를 할 때 무엇을 포함시켜야 하는지 발견하게 되었다. 우리는 의식적으로 그것을 어떻게 우리에게 사용할 것인지 선택하고, 그로 인해 혜택을 받을 수 있는 다른 사람들과 공유할 수도 있다. 우리 중 일부는 이 책 마지막의 촉진자(facilitator) 가이드를 이용해 우리의 '교사를 위한 치유저널' 글쓰기 클럽을 만들기도 할 것이다. 우리 내면의 목소리가 우리를 멀리멀리 인도해 주길 바란다.

– 마리제

끝맺음과 시작을 위한 글쓰기 웜업

『교사를 위한 치유저널』을 체험하고 뒤돌아보니 나는…….

나는 내가 ……하게 될 줄은 상상도 못했다.

✎ 교사저널에서

이 책에 내가 쓴 글을 다시 읽어 보니, 나의 많은 아이디어와 프로젝트가 구체화되진 않았다는 것을 깨달았다. 즉흥적으로 휩쓸렸던 것이다. 나는 내가 얼마나 일을 하고 싶어 하는지 알게 되었다.

– 나나, AP 철학교사

나는 이 과정이 이렇게 일관성을 가져다줄 거라고는 생각하지 못했다. 그것은 행복이라고 표현할 수 있을 것이다. 내 인생에 의미 있고, 통제되지 않은 규칙이 있으며, 추진력이 있고, 세상을 바꿀 진정한 영향력도 있다는 것을 느낄 때 찾아오는 행복.

– 쇼안, 중학교 갈라시아어/문학교사

___

___

___

___

___

___

#33. 끝맺음과 시작

이 워크북의 끝에 다다르고 있지만, 이는 당신의 교사저널의 시작에 불과하다. 당신의 저널은 언제든 당신의 불평을 받아 주고, 당신을 비판하는 사람에게 맞서 주며, 당신의 열정의 불꽃을 부채질해 주고, 당신이 무너질 때 위로해 줄 준비가 되어 있는 신실한 동료가 될 수 있다. 지금으로부터 1년 뒤 당신은 커피 한 모금을 마시며 지금에서 거기로 어떻게 갈 수 있었는지 그 발자취를 한 장 한 장 읽을 수 있을 것이다. 당신의 교사저널은 언제나 들어주고, 설명해 주며, 계시해 주고, 반영해 주는 당신의 친구다.

이 교사저널을 쓰는 것이 당신에게 어떻게 도움이 되었는가? 교사저널을 쓰면서 지속적으로 도움이 된 것이 있는가?

✎ 교사저널에서

교사저널을 쓴 나의 경험은 현실과 나 자신에 대한 내 비전을 향상하도록 해 주었다. 나를 놀라게 한 몇몇의 과정이 있었다. 예를 들어, 콜라주는 기억할 만한 여정에 대한 핵심적인 생각이나 나를 섬세함과 포기의 자리로 이끌어 준 축복에 대해 알게 해 주었다. 내가 많은 생각을 하는 문제에 대해 글을 쓸 때마다 글쓰기는 내가 그 문제를 논리적으로 정리할 수 있도록 도와주었다. 이 경험은 내 잠재력을 깨워 주고, 새로운 일을 시작할 수 있게 용기를 주며, 내가 글쓰기를 더 많이 하도록 한다. 교사저널의 가이드라인을 따라 글을 쓴다는 것은 자가 치료적이다. 왜냐하면 여기서 나의 여러 자아가 조화를 찾는다는 공통적인 목적 아래 서로 안전하게 대화를 할 수 있기 때문이다. 그것은 마치 기타의 음을 맞추는 것과 같다. 처음에 각각의 코드는 각자의 공간을 필요로 하지만, 함께 소리를 내기 시작하면서부터 음악을 만들어 내는 것이다. 저널은 나를 더 나은 사람으로, 더 자연스럽고 더 조화로운 사람으로 만들어 주기 때문에 한 사람으로서 그리고 한 교사로서의 나를 도와준다.

– 쇼안

글을 쓰는 과정에서 놀라울 정도로 많은 것이 드러났다. 나는 글을 쓰면서 그 과정에서 나와 내 개성이 드러난다고 느꼈으며, 그것이 늘 편하지는 않았다. 나는 교사로서의 나로 자라난 내면의 어린 자아를 통찰하게 되었다. 나의 어릴 적 심리적 외상은 새로운 아이를 만나게 했고, 집에서 지지를 받지 못했기 때문에 겪었던 아픔은 비슷한 환경에 있는 아이들을 위해 열심히 일하도록 만들었으며, 아이들에게 가슴으로부터 더 많은 공감을 하도록 하였다. 나는 32년을 새로운 안목으로, 그리고 내 직업이 어떤 것인지에 대한 새로운 평가로 돌아볼 수 있었다.

– 셰이, K–3 초등학교 교사

쓴 글을 되돌아보며

당신이 쓴 '교사저널'에 관한 마지막 질문이다. 당신은 지금까지 무엇을 써 왔으며, 앞으로는 무엇을 쓸 것인가?

✎ 교사저널에서

이 모든 것에 관해서 글을 쓰는 것은 내가 내면의 혼란과 생각을 정리하도록 도와주었다. 나는 내가 나에게 중요한 것을 반복한다는 것을 알 수 있었다. 그것은 배우고, 기쁨을 나누며, 경험하는 것이다. 나는 내 글에서 실패감이나 큰 실망은 찾아볼 수 없었다. 천진난만한 생각일까? 그럴지도 모른다. 그렇지만 아닐 수도 있다. 사실일 수도 있다!

– 나나

____

____

____

____

____

____

____

____

____

12

촉진자 가이드[1]

교사를 위한 치유저널 글쓰기 모임

글쓰기의 힘은 서로 공통되는 의도와 생각, 예를 들어 교사가 자신의 꿈과 비전을 새롭게 하고 균형을 회복할 수 있는 창조적이고, 효과적이며, 힘을 북돋아 주는 방법을 찾고자 하는 공통 목적을 가진 다른 사람들과 함께 모여서 글을 쓸 때 더 강력해진다.

어쩌면 당신도 이 『교사를 위한 치유저널』에 제시된 저널 쓰기를 다 해 보았을 것이다. 그리고 서로의 글을 공유할 때 더 유익함을 얻는다는 것을 알았을 것이다. 혹은 아마 당신은 혼자서 글을

1) Facilitor's Guide © Kathleen Adams. 2009. Adapted from *Journal Therapy for Mood Disorders: A Training Workbook*. Wheat Ridge, CO: Center for Journal Therapy.

완성하려고 애를 썼을 수도 있다. 아니면 아마 당신은 이제 당신과 주변 동료들이 함께 모여 모든 교사에게 공통되는 관심사를 연구할 준비가 되어 있을 수도 있다. 어쩌면 당신은 그냥 친구들과 함께 모여서 각자의 저널에 글을 쓸 이유를 발견했을 수도 있다.

이 중 어떤 경우라도 또는 그 외의 다른 경우라도, 그것은 당신이 '교사를 위한 치유저널' 그룹을 만들기 위한 가치 있고, 실질적인 이유가 될 수 있다. 이 촉진자 가이드에서는 당신이 친구들을 모아 놓고 서로의 직업상의 문제, 교사로서의 삶에 대해서 탐구하는 데 필요한 것을 제공하고자 한다.

▶ **기본 규칙**: 나는 20년이 넘도록 촉진자들에게 케어스(CARES) 지침을 가르쳐 오고 있다. 이 지침은 집단의 결속을 위해 요구되는 개개인의 책임을 명확히 짚어 주는 효과적인 방법이다. 뒤에 나오는 케어스에 관한 설명 페이지를 복사해서 나눠 주라.

아주 드물게 누군가가 이 지침 중 하나 또는 그 이상의 조항에 동의하지 않을 경우 할 수 있다면 집단 토론을 통해서 문제를 해결하고, 그럴 수 없을 경우에는 개인적으로 의견을 이야기할 것에 동의하라. 만일 어떤 참여자가 합리적인 합의 이후에도 하나 또는 그 이상의 조항에 동조하지 않을 경우 그 참여자에게는 지금이 당신의 모임에 참여할 좋은 시기가 아닐 수 있다. 그에게 6개월 후에 다시 만나기를 제안하고 당신은 모임을 계속하라.

- ▶ **네 단계**: 이것은 당신, 즉 촉진자를 위한 것으로 촉진계획을 위해 따라야 할 이론적 내용이다.
- ▶ **촉진계획 세우기**: 네 단계는 촉진계획의 구조와 지지를 제공한다. 여기서는 그것을 어떻게 나누는지 제시한다.
- ▶ **촉진을 위한 조언과 기술**: 몇 가지 전략이 당신의 모임이 잘 진행되도록 도와줄 것이다.
- ▶ **촉진계획서**: 여기서는 60분, 90분 또는 120분 집단 모임에 활용할 수 있는 세션별 하나하나의 촉진계획을 제시한다.

당신이 이 자료를 주의 깊게 살펴본 후에 가장 중요한 것은 시작해 보는 것이다. 확신하건대, 당신은 당신에게 필요한 것이 무엇이라고 생각하든 그것을 모두 충분히 갖추고 있다. 당신은 잘 짜인 교과과정과 실행하기 용이한 촉진계획서를 가지고 있다. 당신은 이미 한 개인의 자기 발견을 도울 수 있다. 완벽하게 하지 않아도 좋다. 왜 망설이는가? 이제 글쓰기를 시작하라!

이 모임은 서로를 케어(C.A.R.E.S.)합니다

어떤 저널 쓰기 모임이든지 참여자 모두가 편안하게 느끼며, 또 서로에게 다가갈 수 있다는 집단 경험이 지속되도록 상식적인 동의를 하는 것이 도움이 된다. 이러한 기본 규칙에 동의함으로써 참여자 각자는 서로 존중하고, 신뢰하며, 안전하다는 생각을 공유하는 책임을 인정하고 받아들이게 된다.

동그랗게 앉아 돌아가면서 이 기본 규칙을 읽을 것이다. 다 읽고 난 후 질문이 있을 경우 질문을 하라. 그런 다음 이제 촉진자는 참여한 당신들에게 이 '교사를 위한 치유저널' 모임의 규칙에 동의하는지 물어볼 것이다.

Confidentiality(비밀 보장) - 우리는 이 모임에서 각자 자신만의 경험에 대해서 그 누구와도 이야기할 수 있다. 우리는 당사자의 동의 없이 다른 사람의 경험을 이 그룹 밖에서 이야기하지 않기로 동의한다.

Acceptance(수용) - 우리의 이야기는 다양하고 풍성하다. 그 이야기가 우리를 만들어 주었다. 우리는 우리 자신의 이야기와 다른 사람의 이야기를 어떤 판단이나 비판 없이 그대로 수용해 주며, 또한 그 이야기를 수정하거나 해결해 주려 하지 않는다.

Respect(존중) - 우리는 그룹을 존중한다. 제시간에 참석하고, 끝까지 참석하며, 만일 불참 시에는 지도자에게 미리 통보한다. 모임 중에는 혼자서 이야기를 독차지하지 않는다. 서로의 이야기를 경청하고 공감하면서 서로를 존중해 준다. 모임을 방해하지 않으며 잡담을 하거나 비판을 하거나 의견이 다르다고 논쟁을 하지 않는다.

Expression(표현) - 우리는 여러 형태와 방법으로 자신을 진솔하게 표현한다. 눈물을 흘릴 수도 있고, 때로는 험한 말을 할 수도 있으며, 속된 생각을 할 수도 있고, 과격한 생각을 할 수도 있다. 또는 다른 여러 형태의 솔직한 생각을 표현할 수 있다. 우리 스스로 그리고 서로서로 기억해야 할 것은 우리가 표현한 것에 대해서 사과할 필요가 없으며, 우리의 표현은 중요하다는 점이다. 하지만 동시에 균형을 위해서 우리는 자기표현을 하는 정황과 문맥을 염두에 두어야 하며, 사회적으로 지켜야 하는 경계선을 존중하고 우리 직장의 비밀을 존중해 주어야 한다.

Self-management(자기 관리) - 우리는 우리의 능력에 맞는 모임에 참여할 것에 동의하며, 어떤 초대나 제안, 지시를 거절하거나 바꿀 수 있음을 알고 있다.

표현적 글쓰기 집단의 네 단계 과정

고전이 된 책 『문학치료: 상호작용의 과정(제3판; *Biblio/Poetry Therapy: The Interactive Process*, 3rd ed.)』(2012)에서 알린 맥카티 하인즈(Arleen McCarty Hynes)와 메리 하인즈-베리(Mary Hynes-Berry)는 표현적 또는 치료적 글쓰기 집단에서 일어나는 네 단계의 과정을 기술하고 있다. 이것은 개인적 글쓰기 회기의 과정이다. 시간이 지나면 이 네 단계는 그리고 그에 수반되는 의식, 드러나는 이야기, 놀라움, 보물은 '글쓰기 집단'의 경험이 될 것이다. 즉, 하나의 경험이 진솔한 표현, 진정한 연결, 진정한 희망과 힘에 녹아들면서 '글쓰기 집단'의 경험이 된다.

첫 번째 단계: 인식

인식의 단계는 참여자 각자에게 집단에서 자신의 자리를 찾도록 해 준다. 웜업(글쓰기 준비 활동)과 최초의 글을 공유하면서 참여자들은 이 집단의 주제와 자신을 동일시하게 되는데, 이때 자발적으로 참여하게 된다.

두 번째 단계: 탐구

인식의 단계는 겉으로 드러난 주제와 문제점에 대한 탐구의 단계로 더 깊어진다. 참여자들은 각자 글을 쓰고, 그 글에 대한 성찰을 통해서 표면으로 드러난 주제와 문제점을 탐구하게 된다.

세 번째 단계: 병치

병치 단계는 2개 혹은 그 이상의 생각, 표현, 깨달음의 순간 그리고/또는 해석이 같이 나란히 놓임으로써 비교와 대조가 확장될 때 일어난다. 병치는 일상적으로 표현적 글쓰기 집단의 모임에서 공유하는 시간에 일어나게 된다. 참여자가 또 다른 참여자의 경험, 믿음, 세계관 등을 자신의 경우와 비교하고 대조하면서 자신의 사고와 그 과정의 세계가 확장되는 것이다. 병치 과정은 또한 종종 표현적 글쓰기의 과정 자체에서 자연스럽게 밀고 당기며 일어나기도 한다. '나는 이렇게 느끼기도 하지만 또 저렇게 느끼기도 한다.' 또는 '이것이 나의 가장 큰 관심사는 아닐지 모르지만 그래도 나는 이걸 원한다.'

네 번째 단계: 자기 적용

마지막 단계인 자기 적용은 참여자들이 집단에서 배운 것을 가져가서 '자신의 삶에' 적용하는 단계다. 촉진자는 그동안의 모임에 대한 전반적인 성찰문(후기)을 쓰도록 권하거나 또는 "이 그룹에서 내가 배워서 가져가는 것은 무엇인가?" "내가 배워서 활용할 수 있는 것은 무엇인가?" 등의 질문을 통해 이 단계를 촉진시킬 수 있다. 자기 적용의 단계는 집단 모임 사이의 시간에 [어쩌면 이 집단 모임에서 사용하지 않은 그 장(章)의 나머지 글쓰기 유도문을 활용함으로써] 후속 글쓰기 과정을 통해 도움을 받을 수도 있다.

모든 선형 모델이 그렇듯이 집단 과정의 단계는 명확히 구별되거나 나뉘는 것이 아니라 서로서로 섞여 있고, 어쩌면 함께 경험되기도 한다. 그렇지만 확실히 네 단계는 순서적으로 일어나는 경향이 있다. 촉진자의 일은 이 과정을—준비 단계(웜업), 토론질문/주된 글쓰기, 통합 과정—구조화함으로써 네 단계 모델의 순서가 자연스럽게 유기적으로 일어나게 하는 것이며, 각 단계의 과정이 완성되도록 격려하면서 대화와 나눔을 촉진하는 것이다.

촉진계획 만들기

표현적 글쓰기 집단의 모임은 전형적으로 글쓰기 준비(웜업), 또는 짧은 교육, 주된 글쓰기, 공유/과정, 마무리의 순서로 진행된다. 어떻게 '교사를 위한 치유저널' 모임이 하인즈와 하인즈-베리의 구조를 활용할 수 있는지 제시해 보겠다.

웜업(인식 단계)

- 참여자가 집단 '외부'에서 집단 '내부'로 들어오게 도와준다.
- 글로 쓰기도 하고, 말로 하기도 한다.
- 이 모임의 내용에 대해서 이야기할 수도 있다(반드시 지킬 필요는 없다.).
- 촉진자가 역할 모델이 되어서 말로 글쓰기 준비 단계(웜업)에 참여할 수도 있다.
- 이 책의 각 장에서 촉진자가 선호하는 웜업을 활용하라. 또는 '글 쓰는 사람의 기호'에 따라 1개 이상을 사용해도 좋다.

교육(인식, 탐구, 병치의 가능성)

- 글쓰기 과정을 결과나 목표와 연결시킨다.
- 지식 그리고/또는 깨달음을 가르친다.

주된 글쓰기(탐구, 병치)

- 구체적인 모임의 결과와 목표를 겨냥한다.
- 촉진자가 이끌어 주는 짧은 심상, 도입 명상 또는 가이드에 따른 이완과 집중을 활용할 수 있다.
- 집단의 인원수와 모임 시간에 따라서 10~15분간 이루어진다.
- 주된 글쓰기를 한 후에는 다시 글을 읽어 보고 간단한 성찰글을 쓰는 것이 도움이 된다("글을 읽고 나서 나는 ……을(를) 깨달았다." "……을(를) 발견했다." 또는 "……해서 놀랐다." "……이 궁금하다."). 이것은 즉시 새로운 통찰과 발견, 인식에 이르게 한다.

공유(탐구, 병치, 자기 적용)

- 공유는 언제나 선택 사항이지만 그래도 언제나 격려하는 사항이다.
- 공유하는 방법은 다음과 같다.
  - 쓴 글을 읽기
  - 글 대신 성찰문만 공유
  - 쓴 글에 대해서 이야기
  - 글을 쓴 과정에 대해서 이야기

- 공유하지 않음.

- 모든 글에 대한 과정의 구체적인 언급을 하는 시간이 있지 않은 한 간단하고 일반적인 논평만 한다.
  - 글을 소리 내어 읽는 것이 어떠했습니까?
  - 놀란 점이 있습니까?
  - 마음에 와 닿는 단어나 구절 또는 생각이 있습니까?
- 누군가가 놀라움, 통찰, '아하!'의 순간 그리고 그 외의 것을 공유하면 촉진자는 그것을 세션 사이에 쓸 수 있도록 글쓰기 유도문으로 제시할 수 있다.
- 표현적 글쓰기 집단에서는 공유 시 절대 비판을 받아서는 안 된다. 촉진자/자원한 그룹의 리더는 이 기본 규범이 지켜지도록 하고, 비판적인 행동을 수정할 책임이 있다.

마무리(자기 적용, 새로운 인식)

- 만일 시간이 허락한다면 모든 것을 마무리하는 아주 간략한 (3~5분) 글쓰기를 하라("내가 배운 것은……." "내가 얻고 가는 것은……").
- 집단 시를 활용해서 모임을 마치라(자신이 쓴 글에서 한 줄씩 기여한다.). 또는 마무리 짓는 생각, 인용구, 단어나 구절을 활용하라("지금 기분이 어떠한지 묘사하는 한두 단어를 말해 보세요." "오늘 배운 것은 무엇인가요?").
- 만일 필요하다고 느끼면 글쓰기 숙제를 내주라.
- 마무리 시간은 상승하는 시간이 아니라 하강하는 시간이다.

자극적이거나 새로운 생각의 과정을 불러일으키는 질문을 피하라.

촉진을 위한 조언과 기술

- 공식적인 촉진 집단에서는 촉진자가 글쓰기에 참여하지 않는다(촉진자가 자신의 글을 공유하지 않겠다고 계획할지라도). 왜냐하면 촉진자의 역할은 집단의 이야기를 담아내고 과정을 보호해 주는 것이기 때문이다. 예를 들어, '교사를 위한 치유저널' 을 함께하기 위해서 모인 동료들의 집단처럼 보다 덜 공식적인 모임이라면 그룹의 리더가 참여자들과 함께 글을 쓸 수도 있다. 그러나 촉진자는 시간을 관리하는 역할을 하기 때문에 이 경우에 리더가 미리 글을 쓴다면 그룹을 이끌기가 사실상 더 쉬울 것이다.
- 글쓰기 지침 그리고/또는 시작 명상을 끝낸 후에는 시간에 대한 소개를 하라. "10분 동안 글을 쓰겠습니다. 그리고 마감 1분이나 2분 전에 제가 알려 드리겠습니다." 그다음으로 7분 이하의 시간을 주었을 경우에는 1분 전에, 7분 이상의 시간을 주었을 경우에는 2분 전에 알려 주라. "1분 남았습니다." 또는 "2분 남았습니다." 만일 당신이 마지막에 쓴 글을 읽고 성찰문을 쓰라고 지시하길 원한다면 글쓰기를 끝맺고 추가로 3~4분을 할애해 주라.
- 시간을 재는 데 도움이 되는 요령이 있다. 당신이 "~분 동안

글을 쓸 것입니다."라고 말하면 그때 시간을 적어 넣는 것이다(예는 10분을 할애한 경우다.).

- 시작 시간: 7:00
- 시간 체크: 7:08
- 종료 시간: 7:10
- 읽기/성찰: 7:13

또는 간단히 7:00 > 7:08 > 7:10 > 7:13

- 각 세션 사이에 글을 쓸 유도문으로 활용하도록 각자의 생각이나 통찰을 지적하라.
- 어떤 촉진자들은 누가 말하거나 공유할 차례인지 알려 주기 위해서 '이야기 막대'를 사용하기도 한다. 이야기 막대는 막대가 아니라 돌에서 커피 스푼까지 그 무엇이든 좋다. 이것은 서로의 이야기를 공유하는 것을 하나의 의식으로 만들어 주며, 다른 사람의 방해를 받지 않고 이야기를 하도록 보호해 주기도 한다. 첫 만남에서 시간에 대한 기본 규칙을 소개할 때 이야기 막대에 대해서 설명해 주면 좋다. 촉진자로서 당신은 그 막대를 가진 사람이 발표자가 되고 다른 사람들은 이야기를 하도록 초대받기 전에는 귀 기울여 조용히 들어 주어야 한다는 이야기 막대의 관례를 설명하게 될 것이다.
- 어떤 형태든 이야기 막대를 돌리기 전 아직 자신의 이야기를 공유할 준비가 되어 있지 않은 사람은 그것을 다음 사람에게 패스하면 되고, 다시 한 번 차례가 올 수 있다는 점을 확실히 알려 주라. 두 번 돌린 후에 공유 시간을 끝내라. 혹시 시간이

남은 경우가 아니라면 두 번째 돌릴 때는 이미 말한 사람에게 또 기회를 주지 않는다.

- 일반적으로 교실에서 가르치는 교사가 촉진자의 역할을 할 때 가장 어려운 점은 답을 주거나, 문제를 풀거나, 또는 어떤 일이 일어나게 하는 일이 기대되지 않는다는 점이다. 촉진자로서 교사의 의무는 단순히 개념을 소개하고, 글쓰기 유도문을 통해 참여자가 글을 쓰도록 인도해 주며, 글을 공유하고 그것을 지켜보는 일이기 때문이다. 이것은 정말 강력하고 효과적인 작업이다. 하지만 일반적인 반응은 "내가 아무것도 하는 일이 없는 것 같아요!"라는 것이다. 명심하라. 깊이 있는 작업이 일어날 수 있는 안전한 그릇을 만들어 주는 것이 바로 '무엇인가를 하는 일'이다. 아무 노력도 하는 것 같지 않다면 그럴수록 더 좋다!

교사저널 글쓰기 모임 과정계획표

다음에 나오는 9개의 촉진계획은 이 책의 방법을 따라 '교사를 위한 치유저널' 동료 그룹을 만들 때 사용될 수 있다. 각각의 계획표는 1시간, 90분 또는 2시간 모임 중 당신이 선택하는 모임 시간에 맞추도록 3세트로 되어 있다. 만일 당신이 총 9회기의 모임보다 적은 과정을 원한다면 당신의 모임의 관심과 욕구에 따라 여러 개의 장(章) 중에서 택하면 된다.

◆ 표 12-1 ◆ 촉진계획 1회기(2장)

회기 시간 (시간)	활동 시간 (분)	활 동
1 1.5 2	20 30 30	**환영 인사/웜업** • 환영 인사, 간단한 자기소개 (예를 들어, 이름, 근무지, 가르치는 과목 등)(5분) • CARES 기본 규칙을 나누고 동의하기(유인물) • '만족스러운 저널을 쓰기 위한 제안' 읽기(유인물) • 웜업: 2장에서 선택한 준비 작업(글쓰기 3~5분/공유 5~7분. 공유하지 않은 사람은 글쓰기 과정에 대한 이야기로 대체)
1 1.5 2	5 5 5~15	**교육/토론** • 2장, '옛날 옛적에' 읽기/요약 • 토론하기
1 1.5 2	25 40 25~30 (10분 휴식)	**글쓰기/공유** • 촉진자의 선택: #1 혹은 #2 글쓰기(글쓰기 10~15분/공유 15~25분) • 2시간 그룹인 경우 10분 중간 휴식 후 다른 글쓰기
1 1.5 2	10 15 15	**종료** • 그 주의 글쓰기 제안/기존 주제의 심화 혹은 확장/2장에 제시된 글을 선택하여 완성 • 종료 성찰글: 이 모임에서 얻은 것은(3~5분 글쓰기)? • 하나의 요점 나누기(2분) • 종료 의식

* 유인물: CARES 기본 규칙, '만족스러운 저널 쓰기 제안'
* 시간을 지키라.
* 야호, 잘 해냈다!

◆ 표 12-2 ◆ 촉진계획 2회기(3장)

회기 시간 (시간)	활동 시간 (분)	활 동
1 1.5 2	20 30 30	**환영 인사/웜업** • 환영, 간단한 시작 인사 (지난주는 어땠는가? 어떤 글을 썼는가?) • 3장에서 선택한 준비 작업(글쓰기 3~5분/공유 5~7분. 공유하지 않은 사람은 글쓰기 과정에 대한 이야기로 대체) • 5~10분을 택했다면 그대로 계속하라.
1 1.5 2	5 5 5~15	**교육/토론** • 3장, '나의 진화 이야기' 읽기/요약 • 토론하기
1 1.5 2	25 40 25~30 (10분 휴식)	**글쓰기/공유** • 1시간 그룹: #3 글쓰기, #4와 #5를 과제로 함(글쓰기 10~12분/공유 10~15분). • 1.5시간 그룹: #3 글쓰기(10~12분), #4 혹은 #5로 이어 글쓰기(10~12분), #3과 #4 글쓰기 중 하나 혹은 모두 공유(15~20분) • 2시간 그룹: #3 글쓰기와 공유 및 10분 휴식, #4 또는 #5로 반복
1 1.5 2	10 15 15	**종료** • 그 주의 글쓰기 제안/기존 주제의 심화 혹은 확장/3장에 제시된 글을 선택하여 완성 • 종료 성찰글: 이 모임에서 얻은 것은(3~5분 글쓰기)? • 하나의 요점 나누기(2분) • 종료 의식

◆ 표 12-3 ◆ 촉진계획 3회기(4장)

회기 시간 (시간)	활동 시간 (분)	활 동
1 1.5 2	20 30 30	**환영 인사/웜업** • 환영, 간단한 시작 인사 (지난주는 어땠는가? 어떤 글을 썼는가?) • 4장에서 선택한 준비 작업(글쓰기 3~5분/공유 5~7분. 공유하지 않은 사람은 글쓰기 과정에 대한 이야기로 대체) • 5~10분을 택했다면 그대로 계속하라.
1 1.5 2	5 5 5~15	**교육/토론** • 4장, '관례' 읽기/요약 • 토론하기
1 1.5 2	25 40 25~30 (10분 휴식)	**글쓰기/공유** • 1시간 그룹: #6~10에서 촉진자가 선택(글쓰기 10~12분/공유 10~15분) • 1.5시간 그룹: #6~9에서 촉진자가 선택(글쓰기 10~12분), 이어서 #6~10에서 다시 택하여 글쓰기(10~12분), 2개의 글쓰기 중 하나 혹은 모두 공유(15~20분) • 2시간 그룹: #6~9에서 촉진자가 선택(글쓰기 10~12분/공유 12~15분), 10분 휴식, 다시 #6~10에서 택하여 반복함.
1 1.5 2	10 15 15	종료 • 그 주의 글쓰기 제안/기존 주제의 심화 혹은 확장/4장에 제시된 글을 선택하여 완성 • 종료 성찰글: 이 모임에서 얻은 것은(3~5분 글쓰기)? • 하나의 요점 나누기(2분) • 종료 의식

* 시작과 끝 시간을 지키라.
* 각 활동 시 시작 시간과 끝 시간을 기록해서 시간을 관리하라.

◆ 표 12-4 ◆ 촉진계획 4회기(5장)

회기 시간 (시간)	활동 시간 (분)	활 동
1 1.5 2	20 30 30	**환영 인사/웜업** • 환영, 간단한 시작 인사 (지난주는 어땠는가? 어떤 글을 썼는가?) • 5장에서 선택한 준비 작업(글쓰기 3~5분/공유 5~7분. 공유하지 않은 사람은 글쓰기 과정에 대한 이야기로 대체)
1 1.5 2	5 5 5~15	**교육/토론** • 5장, '경청' 읽기/요약 • 토론하기
1 1.5 2	25 40 25~30 (10분 휴식)	**글쓰기/공유** • 1시간 그룹: #11~15에서 촉진자가 선택(글쓰기 10~12분/공유 10~15분) • 1.5시간 그룹: #11~13에서 촉진자가 선택(글쓰기 10~12분), 이어서 #14~15에서 다시 택하여 글쓰기(10~12분), 2개의 글쓰기 중 하나 혹은 모두 공유(15~20분) • 2시간 그룹: #11~13에서 촉진자가 선택(글쓰기 10~12분/공유 12~15분), 10분 휴식, 다시 #14~15에서 선택하여 반복함.
1 1.5 2	10 15 15	**종료** • 그 주의 글쓰기 제안/기존 주제의 심화 혹은 확장/5장에 제시된 글을 선택하여 완성 • 종료 성찰글: 이 모임에서 얻은 것은(3~5분 글쓰기)? • 하나의 요점 나누기(2분) • 종료 의식

◆ 표 12-5 ◆ 촉진계획 5회기(6장)

회기 시간 (시간)	활동 시간 (분)	활 동
1 1.5 2	20 30 30	**환영 인사/웜업** • 환영, 간단한 시작 인사 (지난주는 어땠는가? 어떤 글을 썼는가?) • 1시간 그룹: 웜업으로 #16 • 1.5~2시간 그룹: 6장에서 선택한 준비 작업(글쓰기 3~5분/공유 5~7분. 공유하지 않은 사람은 글쓰기 과정에 대한 이야기로 대체)
1 1.5 2	5 5 5~15	**교육/토론** • 6장, '축복' 읽기/요약 • 토론하기
1 1.5 2	25 40 25~30 (10분 휴식)	**글쓰기/공유** • 1시간 그룹: #17~18에서 촉진자가 선택(글쓰기 10~12분/공유 10~15분) • 1.5시간 그룹: #16(글쓰기 10~12분), 이어서 #17~18에서 택하여 글쓰기(10~12분), 2개의 글쓰기 중 하나 혹은 모두 공유(15~20분) • 2시간 그룹: #16(글쓰기 10~12분/공유 12~15분), 10분 휴식, 다시 #17~18에서 택하여 반복함.
1 1.5 2	10 15 15	**종료** • 그 주의 글쓰기 제안/기존 주제의 심화 혹은 확장/6장에 제시된 글을 선택하여 완성 • 종료 성찰글: 이 모임에서 얻은 것은(3~5분 글쓰기)? • 하나의 요점 나누기(2분) • 종료 의식

◆ 표 12-6 ◆ 촉진계획 6회기(7장)

회기 시간 (시간)	활동 시간 (분)	활 동
1 1.5 2	20 30 30	**환영 인사/웜업** • 환영, 간단한 시작 인사 (지난주는 어땠는가? 어떤 글을 썼는가?) • 웜업: #19(글쓰기 7~10분/빠른 공유)
1 1.5 2	5 5 5~15	**교육/토론** • 7장, '내면의 비판자' 읽기/요약 • 토론하기
1 1.5 2	25 40 25~30 (10분 휴식)	**글쓰기/공유** • 1시간 그룹: #20(글쓰기 12~15분/공유 10~15분), #21을 과제로 하기 • 1.5시간 그룹: #20(글쓰기 12~15분), 이어서 #21(글쓰기 12~15분), 2개의 글쓰기 중 하나 혹은 모두 공유(12~15분) • 2시간 그룹: #20(글쓰기 12~15분, 공유 10~12분), 10분 휴식, 다시 #21로 반복함.
1 1.5 2	10 15 15	**종료** • 그 주의 글쓰기 제안/기존 주제의 심화 혹은 확장/7장에 제시된 글을 선택하여 완성 • 종료 성찰글: 이 모임에서 얻은 것은(3~5분 글쓰기)? • 하나의 요점 나누기(2분) • 종료 의식

◆ 표 12-7 ◆ 촉진계획 7회기(8장)

회기 시간 (시간)	활동 시간 (분)	활 동
1 1.5 2	20 30 30	**환영 인사/웜업** • 환영, 간단한 시작 인사 (지난주 '내면의 비판자'에 대해 보고할 것이 있는가? 어떤 글을 썼는가?) • 1시간 그룹: 웜업으로 #22 1.5~2시간 그룹: 8장에서 선택한 준비 작업(글쓰기 3~5분/공유 5~7분)
1 1.5 2	5 5 5~15	**교육/토론** • 8장, '내면의 독촉자' 읽기/요약 • 토론하기
1 1.5 2	25 40 25~30 (10분 휴식)	**글쓰기/공유** • 1시간 그룹: #23~26에서 촉진자가 선택(글쓰기 10~12분/공유 10~15분) • 1.5시간 그룹: #22(글쓰기 10~12분), 이어서 #23~26에서 택하여 글쓰기(10~12분), 2개의 글쓰기 중 하나 혹은 모두 공유(15~20분) • 2시간 그룹: #22(글쓰기 10~12분/공유 12~15분) 10분 휴식, 다시 #23~26에서 택하여 반복함.
1 1.5 2	10 15 15	**종료** • 그 주의 글쓰기 제안/기존 주제의 심화 혹은 확장/8장에 제시된 글을 선택하여 완성 • 종료 성찰글: 이 모임에서 얻은 것은(3~5분 글쓰기)? • 하나의 요점 나누기(2분) • 종료 의식

* 다음 주 준비물 공지: 다음 주는 콜라주 작업 예정. 참여자들은 가위, 잡지 몇 권 지참. 촉진자는 포스터 보드나 공작용 판지, 스틱 풀을 준비하고 예비로 가위와 잡지 등을 준비한다.

◆ 표 12-8 ◆ 촉진계획 8회기(9장)

회기 시간(시간)	활동 시간(분)	활 동
1 1.5 2	20 30 30	**환영 인사/웜업** • 환영, 간단한 시작 인사 (지난주 '내면의 독촉자'에 대해 보고할 것이 있는가? 어떤 글을 썼는가?) • 1시간 그룹: 만일 콜라주(#27)를 먼저 하기로 했으면 웜업은 생략하고 9장의 '지식에 대한 사랑' 읽기와 요약에서 시작. 만일 #28을 선택한 경우 1.5~2시간 그룹과 같이 9장에서 선택한 준비작업으로 시작(글쓰기 3~5분/공유 5~7분)
1 1.5 2	5 5 5~15	**교육/토론** • 9장, '지식에 대한 사랑' 읽기/요약 • 토론하기
1 1.5 2	25 40 25~30 (10분 휴식)	**글쓰기/공유** • 1시간 그룹: #27~28에서 촉진자가 선택. 만일 콜라주를 하는 경우 5×7인치 크기의 포스터보드나 판지를 사용 • 1.5시간 그룹: #27~28에서 촉진자가 선택. 만일 #27을 선택한다면 콜라주 작업 20분, 남은 시간에 공유. 보다 큰 크기의 포스터 보드나 판지를 사용 • 2시간 그룹: #27~28에서 촉진자가 선택. 만일 #27을 선택한다면 콜라주 작업 20분, 10분 휴식, 남은 시간에 공유. 시간이 남는다면 다시 #28~29에서 선택함.
1 1.5 2	10 15 15	**종료** • 그 주의 글쓰기 제안/기존 주제의 심화 혹은 확장/9장에 제시된 글 선택하여 완성 • 종료 성찰글: 이 모임에서 얻은 것은(3~5분 글쓰기)? • 하나의 요점 나누기(2분) • 종료 의식

* 콜라주 준비물(잡지, 가위, 스틱 풀, 포스터 보드, 판지 등)

◆ 표 12-9 ◆ 촉진계획 9회기(10장)

회기 시간 (시간)	활동 시간 (분)	활 동
1 1.5 2	20 30 30	**환영 인사/웜업** • 환영, 간단한 시작 인사 (지난주 '불꽃'에 대해서 보고할 것이 있는가? 어떤 글을 썼는가?) • 웜업을 10장에서 선택(글쓰기 3~5분/공유 5~7분)
1 1.5 2	5 5 5~15	**교육/토론** • 10장, '교사 되어 가기' 읽기/요약 • 토론하기
1 1.5 2	25 40 25~30 (10분 휴식)	**글쓰기/공유** • 1시간 그룹: #30~32에서 촉진자가 선택(글쓰기 10분/공유 10분) • 1.5시간 그룹: #30~31에서 촉진자가 택하여 글쓰기(10~12분), 이어서 #32로 계속함(글쓰기 10~12분/공유 10~15분). 2개의 글쓰기 중 하나 혹은 모두 공유 • 2시간 그룹: #30~32에서 촉진자가 택하여 글쓰기(글쓰기 10~12분/공유 12~15분), 10분 휴식, 다시 #32 반복함.
1 1.5 2	10 15 15	**종료** • 오늘이 9일간의 모임 종료일. 그동안의 경험을 통합한 종료 글쓰기(5분). 이 모임에서 배운 것은? 얻은 것은? 그룹원들에게 하고 싶은 이야기가 있는가? • 종료 의식

* 종료일이므로 만일 원한다면 '수료증'이나 '참여증서' 또는 작은 기념품, 감사 쪽지 등과 같은 모임원들 간의 결속을 축하하는 특별 선물을 준비할 수 있다.

참고문헌

Adams, K. (2006). *Journal therapy: Writing as a therapeutic tool*. Brentwood, TN: Cross Country Education.

Adams, K. (2009). *Journal therapy for mood disorders: A training workbook*. Wheat Ridge, CO: Center for Journal Therapy.

Adams, K. (2013). Expression and reflextion: Toward a new paradigm in expressive writing. In K. Adams (Ed.), *Expressive writing: Foundations of pracice*. Lanham, MD: Rowman & Littlefield Education.

Alford, C. F. (2001). *Melanie Klein and critical social theory*. New Haven: Yale University Press.

de Wardt, S. "The joy of writing." Course offered through the Therapeutic Writing Institute, Summer(2011). Wheat Ridge, CO: Center for Journal Therapy.

Frattaroli, J. (2006). Experimental disclosure and its moderators: A meta-analysis. *Psychological Bulletin, 132*(6), 823-865.

Hynes, A., & Hynes-Berry, M. (2012). *Biblio-poetry therapy: The interactive process* (3rd ed.). St. Cloud, MN: North Star Press.

Makimaa, H. "Writing and meditation." Course offered through the

Therapeutic Writing Institute, Summer(2011). Wheat Ridge, CO: Center for Journal Therapy.

Pennebaker, J. W. (1989). Confession, inhibition, and disease. In L. Berkowitz (Ed.), *Advances in Experimental Social Psychology*, *22*, 211–444. San Diego: Academic Press.

Pennebaker, J. W. (2004). *Writing to heal*. Oakland, CA: New Harbinger.

Pennebaker, J. W., & Beall, S. (1986). Confronting a traumatic event: Toward an understanding of inhibition and disease. *Journal of Abnormal Psychology*, *95*(3), 274–281.

Progoff, I. (1992). *At a journal workshop*. Los Angeles: J. P. Tarcher.

Silverstone, L. (2009). *Art therapy exercises*. London: Jessica Kingsley Publishers.

Smyth, J. (1998). Written emotional expression: Effect sizes, outcome types, and moderating variables. *Journal of Consulting and Clinical Psychology*, *66*(1), 174–184.

Stone, H., & Stone, S. (1996). *Embracing our selves*. Novato, CA: Natraj Publishing.

Willis, C. (2010). Creating a legacy out of everyday living. In G. Bolton, V. Field, & K. Thompson (Eds.), *Writing routes: A resource handbook of therapeutic writing* (pp. 97–99). London: Jessica Kingsley Publishers.

저자 소개

캐슬린(케이) 애덤스[Kathleen(Kay) Adams]

미국 콜로라도 덴버에 살고 있는 전문상담사이자 공인저널치료사이며 문학치료전문가다. 표현적 · 치료적 글쓰기의 선구자로서 저널치료센터(Center for Journal Therapy, Inc.)의 창립자/소장이며, 치료적 글쓰기 연구소(TWI)의 소장이다.

애덤스는 평생 글쓰기치료의 옹호자로서 30년 가까이 학회, 방송매체 및 세계적 활동을 통해 저널치료를 알리는 목소리로 활동하고 있다. 관련 저서로는 베스트셀러인 *Journal to the Self*(1990/『저널치료』, 학지사, 2006) 외에 6권이 있으며, *Expressive Writing: Foundations of Practice*(2013) 등을 편집/발행하였다.

연락처: www.journaltherapy.com, www.TWInstitute.net

마리제 바레이로(Marisé Barreiro)

스페인 폰테베드라 지방에 살고 있는 창의성 연구 전문 게슈탈트치료사다. 갈리시아 공립학교(Galician public school)에서 20년째 중 · 고등학교 영어교사로 일하고 있다.

마리제는 엄마가 된 2006년에 날마다 글을 쓰는 일이 필요함을 느끼게 되었다. 그것이 자신의 저널과 그 분야의 가장 중요한 작가들에 대한 연구를 통합하도록 하였고, 글쓰기를 통한 집중 자아 발견 여정을 시작하는 계기가 되었다. 그 여정은 다시 그녀의 직업적 사명으로 이어져 그녀는 게슈탈트 이론을 글쓰기에 접목시켰고, TWI에서 교육을 받았다.

2009년에 글쓰기를 통한 자아 발견에 대한 워크숍을 시작하여 현재 갈라시아와 마드리드에서 활동하고 있다. 그녀의 꿈은 표현적 글쓰기의 유익함을 교육계에 전파하는 것이다.

연락처: cafunemar@gmail.com 또는 www.escribientes.es

역자 소개

이봉희(Bonghee Lee)

성균관대학교 및 동 대학원 영문학과(박사)와 미국 서던캘리포니아 대학교 대학원 영문학과(석사)를 졸업하였으며, 미국 덴버 대학교 대학원 문학치료 연구교수, NAPT(전미문학치료학회) 공식 한국 대표를 역임하였다. K. 애덤스(K. Adams)를 멘토와 슈퍼바이저로 삼아 NAPT에서 공인문학치료사와 공인저널치료사 과정을 공부하였고, 애덤스의 '저널치료®' 기법을 교육할 수 있는 공인지도사 자격증을 취득하였으며, 2007년에는 공인문학치료사(CAPF)와 공인저널치료사(CJF) 자격증을 취득하였다. NAPT에서 Seeds of Joy Award를 수상하였으며, 문학치료에 기여한 공로로 대한민국 사회공헌대상(사사투데이) 등을 수상하였다.

저서로는 2012년 문화체육관광부 우수교양도서로 선정된 『내 마음을 만지다: 이봉희 교수의 문학치유 카페』(생각속의집, 2011)와 『어린이 글쓰기치료』(공저, 학지사, 2010), 『예술의 사회적 기여에 관한 국내외 실증사례 연구』(공저, 한국문화예술위원회, 2008) 등이 있고, 역서로는 『분노치유』(학지사, 2013), 『부모를 위한 크리에이티브 저널』(시그마프레스, 2010), 『어린이를 위한 크리에이티브 저널』(시그마프레스, 2008), 『글쓰기치료』(학지사, 2007), 『저널치료』(공역, 학지사, 2006) 등이 있으며, 다수의 문학치료와 글쓰기치료 관련 논문을 발표하였다.

현재 나사렛대학교 재활복지대학원 문학치료학과 및 영어학과 교수이며, 한국글쓰기문학치료연구소(애덤스의 저널치료센터 한국지소) 소장으로 활동하고 있다.

연락처: journaltherapy@hanmail.net

교사를 위한 치유저널
- 자아를 찾는 저널 쓰기 -
The Teacher's Journal

2015년 3월 20일 1판 1쇄 인쇄
2015년 3월 30일 1판 1쇄 발행

지은이 • Kathleen Adams · Marisé Barreiro
옮긴이 • 이봉희
펴낸이 • 김진환
펴낸곳 • (주) 학지사
121-838 서울특별시 마포구 양화로 15길 20 마인드월드빌딩
대표전화 • 02)330-5114 팩스 • 02)324-2345
등록번호 • 제313-2006-000265호

홈페이지 • http://www.hakjisa.co.kr
커뮤니티 • http://cafe.naver.com/hakjisa

ISBN 978-89-997-0593-9 93180

정가 13,000원

역자와의 협약으로 인지는 생략합니다.
파본은 구입처에서 교환해 드립니다.

이 도서의 국립중앙도서관 출판시도서목록(CIP)은 서지정보유통지원시스템 홈페이지(http://seoji.nl.go.kr)와 국가자료공동목록시스템(http://www.nl.go.kr/kolisnet)에서 이용하실 수 있습니다.
(CIP제어번호: CIP2015007948)